FEL HYN YR OEDD HI

HUNANGOFIANT
RHYS JONES

bwthyn
GWASG Y BWTHYN

© Rhys Jones ℗
Gwasg y Bwthyn
2012

ISBN 978-1-907424-29-8

Dymuna'r cyhoeddwyr
gydnabod cymorth
Adrannau Cyngor Llyfrau Cymru

Llun y clawr: Dafydd Lloyd Jones

Cyhoeddwyd ac argraffwyd gan
Wasg y Bwthyn, Caernarfon

CYNNWYS

CYFLWYNEDIG

I

GWEN, CARYL A DAFYDD

RHAGAIR

Rai blynyddoedd yn ôl bellach, lluniwyd pennill fel rhan o gerdd gan un o'n prifeirdd sydd wedi mynnu glynu yn fy nghof, oherwydd fod y bardd wedi rhoi mewn geiriau yr hyn sy'n brofiad gwir iawn i minnau, ac yn ddiamau, i laweroedd ohonom mewn gwirionedd.

> Mor braf f'ai cael dweud wrth ambell funudyn.
> "Aros, gyfaill i mi gael dy fwynhau.
> Ond cyn y medraf roi fy llaw ar ei ysgwydd,
> mae o'n rhan o ryw batrwm wedi ei wau."

Ac ni fu'r pennill erioed yn fwy gwir nag ydoedd pan ofynnwyd i mi geisio llunio rhagair i'r llyfr hwn gan fy nghyfaill, Rhys Jones, y gŵr dawnus a diddan o Sir y Fflint, a gŵr y mae patrwm ei fywyd lliwgar yn sicr o ddwyn atgofion i bawb a ddarlleno'r llyfr hwn. Byddwn yn cofio am ei ddawn i hyfforddi cantorion ac i wneud i'r piano siarad. Bydd llu o blant ysgolion cynradd ac uwchradd yn ei sir enedigol yn llawn o atgofion amdano; a bydd Cymru gyfan yn rhyfeddu at ei ddawn i gyflwyno caneuon ac emynau yn ei ddull dihafal a chartrefol ei hunan trwy gyfrwng radio a theledu. Fe fydd eraill ohonom yn dwyn i gof ei bartneriaeth gerddorol hapus gyda'i briod Gwen, ac am eu cyfraniad amhrisiadwy i fywydau llu mawr o gantorion ifanc sydd wedi bod yn cyrchu i'w cartref i dderbyn hyfforddiant. Ac i mewn yn y gymysgedd ryfeddol hon, y mae'r cwlwm teuluol hapus sydd wedi bod yn rhan mor bwysig o'u bywydau, gyda Caryl a Dafydd a'u teuluoedd yn llonni calonnau Rhys a Gwen. Ydi, mae gwead patrwm bywyd y teulu dawnus hwn wedi ei wau yn glòs a lliwgar ryfeddol, fel y cewch chi weld wrth ddarllen y llyfr.

ALED LLOYD DAVIES

PENNOD 1

Trelawnyd

Berthengam, Trelogan, Llanasa, Ffynnongroyw, Gronant, Dyserth, Cwm – ac yn eu canol pentref Trelawnyd. Mangre ddistaw, amaethyddol, hollol Gymreig, ar wahân i'r addysg a roddid i'r plant yn yr ysgol, *The Newmarket Voluntary Primary School*.

Ac i Drelawnyd, 'nôl yn y flwyddyn 1920, y daeth nyrs ifanc, bydwraig yn wir, hefo'r llythrennau CWB ar ôl ei henw, *Central Midwives Board*, llythrennau a welodd yn dda iddi ddwyn i'r byd nifer fawr o blant dros gyfnod hir iawn. Ei henw oedd Elisabeth Evans, a anwyd ac a fagwyd ar ddyddyn Brynffynnon ym mhentref Coed-llai. 'Roedd ganddi bedwar brawd ac un chwaer, ond hi oedd yr unig un o'r teulu a adawodd y nyth a mentro ar fywyd gwahanol. Wedi cyfnod o ymbaratoi yn Plaistow ger Llundain daeth Elisabeth yn ôl i Gymru, a wynebu dyletswyddau nyrsio ym Mangor Is-y-coed, Helygain, ac yna, yn 1920, Trelawnyd. Tua saith milltir sgwâr oedd cymuned ei chyfrifoldeb, cyn belled â Threlogan, draw i gyrion Llanasa, hyd at bentref Gwaunysgor, a bron cyn belled â Dyserth. Bu'n gyfrifol am enedigaethau dwsinau o blant dros gyfnod hir iawn, a hyd heddiw 'ma 'dwn i ddim faint o oedolion sy'n dod ataf ac yn dweud, "Eich mam ddaeth â mi i'r byd." Ac mae'n werth cofio ei bod hi'n cyflawni'r dyletswyddau hyn am gyflog o gant ac ugain o bunnoedd y flwyddyn, decpunt y mis, gan drafaelio'r ardal ar ei beic.

Cafodd fy Nhad ei eni a'i fagu yn Nhrelawnyd, yn ail fab i Benjamin a Jemima Jones. Gwelais rywbryd dystysgrif geni fy Nhad. *Name of father: Benjamin Jones*, ac yna wrth ochr ei enw croes, a'r geiriau *the mark of Benjamin Jones*; a'r un modd *the mark of Jemima Jones*. Wrth gwrs, yr ydym yn sôn am y flwyddyn 1897, dair blynedd cyn y ddeddf addysg a ddedfrydodd fod addysg yn rhydd i bawb. Aeth fy Nain rhagddi i redeg siop y pentref, ac yn Nhrelawnyd yn y dauddegau yr oedd Siop Jemima bron yn ddihareb.

Ar ôl priodi aeth fy Nhad a'm Mam i fyw yn y Marian ger Trelawnyd, ac yna symud i'r pentref, i Well Cottage, bwthyn unllawr ag iddo un stafell i fyny. 'Roedd yno sbensh – faint ohonoch chi, tybed, sy'n cofio sbensh o dan y grisiau? – ac yn y sbensh yr oedd Mam yn paratoi bwyd. Dim dŵr o dap – dim tap. Os oedd angen dŵr yr oedd yn rhaid cerdded hefo bwced i dop y stryd agosaf. Dim toilet yn y tŷ, wrth gwrs, ond ystafell fechan addas ryw ddecllath o'r drws ffrynt.

Ac yno yn Well Cottage yn y flwyddyn 1927 y ganwyd mab i Elisabeth a Robert John Jones. A rhoddwyd iddo yr enw Rhys. Maelor oedd y syniad gwreiddiol, ond wedi cryn ddyfalu penderfynwyd mai Rhys fyddai'n fwyaf addas. Pam, 'dwn i ddim, ond 'dw i'n eitha balch erbyn hyn o'r penderfyniad terfynol.

Yn y dauddegau yr oedd Trelawnyd yn bentref hollol Gymreig, pawb yn siarad yr iaith, a bywyd yn troi o gwmpas y capel. Yn Nhrelawnyd yr oedd capel y Methodistiaid, y Capel Wesle; capel y Presbyteriaid, Nasareth; a chapel yr Annibynwyr, Ebeneser; ac wrth gwrs Eglwys y Plwyf, Eglwys Sant Mihangel.

Ebeneser oedd ein capel ni, pawb â'i sedd, a phob oedfa'n llawn, fore a hwyr. A'r cof cyntaf sy gen i yw gorfod gwrando ar 'dwn i ddim faint o bregethau nad own i'n deall yr un gair ohonyn nhw. Y Parchedig Milton Thomas yw'r gweinidog cyntaf i mi ei gofio, ond wedi'i gyfnod o daeth y Parchedig William Jones i Drelawnyd, dyn hyfryd a oedd, buaswn i'n meddwl, yn gryf o dan ddylanwad ei briod, a oedd yn ei arwain at bob un penderfyniad o'i eiddo. 'Dw i'n cofio iddo bregethu yn ystod y rhyfel yn erbyn bygythiadau Hitler a Mussolini, er iddo fo bob Sul bron eu henwi fel Hitler a Missoluni.

Yn y cyfnod hwn yr oedd Trelawnyd yn bentref a oedd yn anwesu'r celfyddydau cerddorol. 'Roedd yma gôr plant, côr cymysg, a chôr meibion. Er bod fy Nhad yn hollol ddiaddysg mewn cerddoriaeth, y fo oedd arweinydd y côr plant a'r côr cymysg. Fo hefyd oedd un o aelodau cyntaf y côr meibion. Yn wir, yn ôl yn 1933, y fo ac Ernie Evans aeth o gwmpas yr ardal i chwilio am gantorion – i'r côr sydd yn dal i ffynnu ac sy'n andros o brysur o dan arweiniad yr hynod dalentog Geraint Roberts.

Yn y cyfnod euraidd hwn yn fy mywyd, y tridegau, yr unig gerddoriaeth a oedd yn wybyddus i mi oedd caneuon y côr plant, "Y mae cyfaill i blant bychain," "Siglo, siglo," a rhyw bethau felly; rhan-ganeuon y côr cymysg, "Seren Bethlehem" ac "Efe a ddaw"; a rhan-ganeuon y côr meib-ion, *"Martyrs of the arena"* a *"Laudamus"*. Ac i hogyn ifanc iawn yn Nhrelawnyd yr oedd hynny'n ddigon i'w fodloni.

Yna yn y flwyddyn 1934 dyma benderfyniad gan fy rhieni a newidiodd fy mywyd. Dyma benderfynu prynu i mi biano. Piano o Siop Cranes yn Wrecsam, gwerth deugain gini, cyflog chwe mis i fy Nhad – a 'dw i'n cofio'r ddefod wythnosol o fynd i'r Swyddfa Bost i anfon *postal order* o ddeg swllt i dalu amdano.

A dyna pryd – yn saith oed – y cefais i'r fraint o gyfarfod â Miss Marian Cunnah, boneddiges o Brestatyn a oedd yn ymweld â Threlawnyd bob nos Lun i roi gwersi piano. *Smallwood's Tutor* oedd y maes llafur, a chofiaf hyd heddiw rai alawon o'r llyfr arbennig hwn, *"Won't you buy me pretty flowers?"*, *"Cujus Animan"* gan Rossini, ac amryw o drysorau cerddorol a ddaeth yn wybyddus i mi flynyddoedd wedyn. Deg a chwech oedd pris deg gwers – tua phum deg ceiniog heddiw, 'ddyliwn. Ond am y deg swllt a chwe cheiniog mi gefais brofiadau cerddorol sy wedi aros gyda mi ar hyd y blynyddoedd.

Ond, wrth gwrs, yr oedd yn rhaid i'r hogyn fynd i'r ysgol, i Ysgol Eglwys Trelawnyd, y *Voluntary Primary School* y cyfeiriais ati ar y dechrau. William Humphreys oedd y prifathro, a Miss Owen a Bessie Jones yr athrawesau. 'Dw i ddim yn cofio rhyw lawer am fod yn nosbarth Miss Owen, ar wahân i'r ffaith mai yno y deuai'r deintydd Mr Lunt i ymweld â ni o bryd i'w gilydd, ac O, yr oeddem ni'n dioddef o dan ei driniaeth.

'Dw i'n cofio'n dda y gwersi a gawsom dan ofal Miss Bessie Jones, ac yn dwyn i gof bob hyn a hyn bethau a ddysgodd i ni – er enghraifft, *'Oranges, lemons, figs and dates grow out of doors in Palestine.' Standard three* dan ofal Miss Bessie Jones oedd pinacl fy ngyrfa yn ysgol

Trelawnyd. 'Dw i'n cofio dim am wersi William Humphreys, gŵr a gawsai'i niweidio'n ofnadwy gan nwy yn y Rhyfel Mawr. 'Roedd gen i ofn dychrynllyd ohono, ac o'r herwydd yr own i'n methu'n llwyr â derbyn unrhyw fath o ddysgeidiaeth ganddo.

Clywais flynyddoedd yn ddiweddarach mai ei brif ddiddordebau oedd emynyddiaeth a'n barddoniaeth ni'r Cymry. Rhyfeddod yn wir! Ni chlywsom ni erioed yr un gair o Gymraeg yn yr ysgol yn ystod y tridegau. Yn ein hysgol ni'r pryd hwnnw yr oedd y brodyr Cadwaladr, Gaienydd a Bryn Lloyd Jones, bechgyn yr oedd eu mam yn chwaer i'r bardd T. Gwynn Jones, ond 'doedd dim sôn amdano fo yn ysgol Trelawnyd.

Yn lle hynny yr oedd yn rhaid i ni, blant y capel, ddysgu'r catecism ac adrodd pethau fel 'We have done those things which we ought not to have done, and have not done those things which we ought to have done, and there is no health in us.' Ac o bryd i'w gilydd byddem yn cael ymweliad gan yr Esgob i'n profi yn nysgeidiaeth a defodau'r Eglwys. Da gen i gael dweud mai plant y capel oedd ar ben y rhestr bob tro.

Erbyn hyn yr oedd fy Nhad yn gyflogedig gan Gyngor Sir y Fflint fel lengthsman, y dyn a oedd yn gyfrifol am daclusrwydd pentref Trelawnyd ac ardal go helaeth o'r cyffiniau. 'Rown i'n meddwl fod ei waith o bwysigrwydd anghyffredin, ac yr oedd, wrth gwrs, gan ei fod yn gwarantu bod pob modfedd o'r ardal yn daclus a glân.

Cefais i blentyndod delfrydol – digon o gyfeillion, ac ardal hardd i chwarae ynddi. Dim ond un cwmwl a darfodd ar fy hapusrwydd. Pan own i'n chwe mlwydd oed cefais fy nharo gan y clefyd peryglus diphtheria, a'm tywys i Ysbyty Llanelwy, yr *Isolation Hospital*. 'Roedd yr ysbyty ryw bum milltir dda o Drelawnyd, ond daeth fy rhieni yno bob dydd i'm gweld, a dim ond i'm gweld: am fod y clefyd mor heintus a Mam yn nyrs 'doedden nhw ddim yn cael mynediad i'r ward. Y ddau yn dod ar eu beiciau ym mhob tywydd, yn cael fy ngwylio drwy'r ffenestr, ac yna'n teithio'n ôl adref. Ar ôl i mi gael fy rhyddhau fe'm tywyswyd i dŷ Nain yng Nghoed-llai am fis arall. Yr unig atgof sy'n aros yw imi ddathlu fy mhen-blwydd yn chwech oed yn gorwedd ar fy ngwely yn Ysbyty H. M. Stanley, Llanelwy.

Dim ond un car oedd yn y pentref, eiddo Mr Taylor y postfeistr, a chofiaf hyd heddiw ei regfeydd pan aeth petrol, *Cleveland Premier Petrol*, i fyny'n ei bris i swllt a cheiniog a dime'r galwyn. Y tu allan i'r pentref yr oedd y byddigions yn byw, yr Hogarths ym Mia Hall a'r Hemylricks yn Henfryn Hall, a phan oedden nhw'n dreifio drwy'r pentref yn eu ceir moethus yr oedd y cyfan yn destun rhyfeddod i ni'r plant.

Yn ôl yn y tridegau yr oedd Trelawnyd yn bentref diogel – ac ynysig i raddau. Prin y gwyddwn i am drigol-ion y pentrefi cyfagos. Ychydig iawn oedd yn meddu ar feic hyd yn oed, ac felly y drefn oedd i'r hogiau briodi merched o'r un pentref. Os mentrai un ohonyn nhw i'r pentrefi eraill, câi ei gydnabod fel un mentrus – neu fel un bradwrus, am nad oedd ein genod ni'n ddigon da iddynt.

Wrth gwrs, yn y cyfnod hwn nid Trelawnyd oedd enw'r pentref, ond Newmarket. 'Roedd y noddwr cyfoethog lleol wedi penderfynu mai'r enw Saesneg oedd i fod arno. Dyna, 'ddyliwn, pam y mae ynddo London Road a Byron Street: dim ond Sais fyddai wedi meddwl am y fath enwau ar strydoedd mewn pentref hollol Gymraeg yn nwyrain yr hen Sir Fflint.

Y mae yn ei ganol neuadd hardd, neuadd a godwyd yn 1920 er cof am foneddiges hynod, priod masnachwr cyfoethog iawn a wnaeth ei arian wrth fewnforio ac allforio nwyddau o borthladd Lerpwl. O'r flwyddyn honno tan heddiw y Neuadd Goffa yw calon a chanolfan Trelawnyd. Dros y blynyddoedd bu'n gyrchfan i'r miloedd a ddeuai iddi i chwarae chwist, i fynychu pwyllgorau di-ri, ymarferion y corau, ac, wrth gwrs, i fwynhau'r cyngherddau lu a gynhaliwyd yno, gan gynnwys y *Welcome Home Concerts* adeg y rhyfel. Dyna'r atgofion sy'n llifo'n ôl wrth i mi feddwl am y neuadd, lle cefais gyfle i ganu'n gyhoeddus, ac i droi'r tudalennau i gopïau William Nuttall yn y cyngherddau uchel eu gradd a oedd yn rhan o batrwm ein bywyd yn Nhrelawnyd dros gyfnod maith.

Fel ym mhob pentref arall, yr oedd yno gymeriadau nodedig. Brenin Trelawnyd ers talwm, prif ddinesydd y fro yn wir, oedd yr Henadur Edward Hughes Jones, blaenor pwysig yng nghapel Ebeneser, a chynrychiolydd yr ardal ar y Cyngor Sir. Y fo a ddywedai wrth bawb beth oedd beth. 'Roedd yno hefyd ŵr o athrylith arbennig, gŵr a weithiai ym mhwll y Parlwr Du ac a oedd hefyd yn gweithio'n ddiflino i wella bywyd ei gydaelodau yn Undeb y Coliars, Jac Garreg-lwyd, neu J. W. Jones. Dylsai pobl fel J. W. Jones fod wedi ennill lle yn yr Ysgol Ramadeg, a mynd oddi yno i'r brifysgol, ac oddi yno wedyn i fywyd o werth mawr mewn gwleidyddiaeth. Ond nid felly'r oedd hi, er mawr golled i fywyd Cymru yn y dauddegau a'r tridegau.

'Dw i'n cofio hefyd Sam Blyddin, cawr o ddyn yr oeddwn i'n ei ofni'n ddychrynllyd. Y stori oedd ei fod wedi ceisio'i saethu ei hun. Yn anffodus – neu'n ffodus, 'ddyliwn – mi fethodd, ac yn lle'i saethu'i hun yn ei ben fe saethodd ei het oddi ar ei ben, gan ennill gwaradwydd ei gymdogion.

'Doedd dim rhaid i ni drafeilio i bentref Dyserth at y barbwr: yr oedd gennym ni yn Nhrelawnyd Wil Hughes y barbwr. Ym mhwll y Parlwr Du y gweithiai yntau, ond yn ystod yr awr ginio treuliai'i amser yn torri gwalltiau. Y fo oedd gwas priodas fy Nhad – ac mi wnaeth hynny gydag arddeliad mawr, mae'n siŵr gen i. Ond dyma stori sy'n enghraifft o hiwmor arbennig Wil Hughes. 'Roedd yna ddau Robert John Jones yn y pentref. Un amser yr oedd y ddau yn byw y drws nesaf i'w gilydd, a rhywbryd yn y tridegau yr oedd un Mrs Robert John Jones, nid Mam ond y llall, yn disgwyl plentyn. Ganed iddi ferch, merch a alwyd gan y rhieni diolchgar yn Dwynwen. Y pryd hwnnw yr oedd y côr wedi dysgu'r rhangan hyfryd "Dwynwen Deg," a chan fod Robert John a'i briod wedi enwi'r ferch yn Dwynwen cynigiodd rhywun yn yr ymarfer y byddai'n weddus i'r côr roi anrheg i'r fechan. 'Roedd gwraig Wil Hughes hithau yn disgwyl plentyn. Ar ôl yr ymarfer hwnnw daeth Wil Hughes yn ôl ei arfer i'n bwthyn ni am baned a smôc. A Nhad yn dweud, "'Doedd hi'n hyfryd fod y côr wedi penderfynu rhoi anrheg i Robert John am enwi'i ferch yn Dwynwen?" Ac meddai Wil Hughes, "'Dydi o ddim o bwys be ddaw acw. Beth bynnag ddaw, 'dw i am ei enwi'n *'Sound an alarm'*." Beth ddaeth ond bachgen, bachgen a dyfodd yn un o'r personoliaethau mwyaf talentog, Philyp Hughes yr actor.

'Roedd gan fy Nhad ewyrth, Yncl Robat, a oedd yn llafurio ar stad y Gwrgla, Golden Grove, ar gyrion pentref Llanasa. 'Roedd o yno am ei fod yn ystod y Rhyfel

Byd Cyntaf wedi bod yn fatman i'w gapten, a ddaethai wedyn yn dirmon yn y Golden Grove. Gwas iddo fo oedd Yncl Robat. Un diwrnod yr oedd y ddau yn gweithio ar un o'r lawntiau yno. Y diwrnod cynt aethai popeth yn iawn, Robat yn pladurio a'r Capten yn goruchwylio. Y dasg rŵan oedd mynd â'r rolar dros y borfa. Am ryw reswm 'doedd y Capten ddim yn hapus: *"No, no, Robert, you're not doing it correctly. Why can't you do as you did yesterday?"* Ond er i'r Sais ddweud a dweud, ni allai Robat ddeall ei feirniadaeth. O'r diwedd, â'i amynedd wedi pallu, wrth drïo dweud, "Be sy'n wahanol heddiw i'r hyn oedden ni'n ei wneud ddoe?" beth ddaeth allan oedd, *"What's the matter to me to you* – mwy nag o'r blaen – uffarn."

'Roedd yn y pentref hefyd ddyn a enillai ryw fath o fywoliaeth drwy ddal a gwerthu cwningod, Jack Profit, a enillodd iddo'i hun enwogrwydd lleol. 'Dw i'n cofio'n dda Miss Bessie Jones yn yr ysgol yn sôn am gyfraniad aruthrol y proffwydi, ac yn gofyn i'r dosbarth, *"What do you think the prophets did?"* a'r ateb a gafodd oedd, *"Catching rabbits, Miss."*

Y pryd hwnnw byddai rhai plant yn un-ar-ddeg oed yn eistedd y sgolarship, ac os byddent yn llwyddiannus i ffwrdd â nhw i'r *County School*, at fywyd addysgol hollol wahanol i'w cyd-ddisgyblion gynt. Cyn dyddiau'r ysgolion uwchradd byddai'r rheini a fethai'r sgolarship yn aros yn eu hysgolion cynradd, yn dilyn gwersi'r plant eraill, ac yn awr ac yn y man yn cael diwrnod o wersi gwaith coed neu ddiwrnod o arddio yng ngardd y prifathro. 'Roedd cadw diddordeb y bechgyn a fethai'r sgolarship, a chadw trefn arnyn nhw, yn her enbyd i ddyfeisgarwch y prifathrawon. Llwyddai rhai, fel Mr Fidler yn Nhrelogan a'i olynydd

Caradog Williams, yn aruthrol, ond methai'r rhan fwyaf yn llwyr, ac o ganlyniad byddent yn magu mewn cannoedd o lanciau agweddau hollol negyddol at fywyd yn gyffredinol ac at addysg yn arbennig.

Yn Nhrelogan yr oedd gweledigaeth Joseff Caradog Williams yn rhyfeddol. Ymhell cyn bod sôn am ysgolion Cymraeg yr oedd Joe Crad wedi penderfynu mai Cymraeg oedd yr iaith i fod, a Chymraeg yn unig. Os oedd rhieni – o Lerpwl, dyweder – yn gofyn am fynediad i'w plant, ateb Joe Crad bob tro oedd, *"Of course, but, remember, Welsh is the language of this school."* Felly y bu. Magodd genedlaethau o blant rhugl eu Cymraeg. Yn Nhrelawnyd, credodd cendlaethau o blant, a mi yn eu plith, fod y Gymraeg yn israddol, yn iaith nad oedd yn addas i'w harddel.

Beth bynnag, yn ôl at y sgolarship, yr 11+, a'r flwyddyn 1938, y flwyddyn a'n rhannai ni ac a'n tywysai i ysgolion gwahanol. (Flynyddoedd lawer yn ddiweddarach y clywais i am Dr Cyril Burt, sef y dyn a honnai fod ganddo dystiolaeth i haeru bod deallusrwydd yn rhywbeth a drosglwyddid o genhedlaeth i genhedlaeth: os oedd y rhieni'n ddisglair eu meddyliau, felly'r plant; ac os oedd y rhieni'n dwp, twp hefyd y plant. Gan ddilyn tystiolaeth y gŵr hwn adeiladwyd un ysgol ramadeg am bob tair ysgol uwchradd. Yn ddiweddarach o lawer y darganfuwyd bod y doctor wedi seilio'i dystiolaeth ar gelwyddau. Ond oherwydd tystiolaeth ddiwerth un dyn unllygeidiog amddifadwyd miloedd ar filoedd o blant o addysg ramadeg.)

Dowch yn ôl – eto – i'r flwyddyn 1938. 'Dw i'n cofio'n dda codi un bore o Fai yn Well Cottage, troi at safle'r bws ar ôl gadael y tŷ, ac i ffwrdd â ni. Dyna'r tro cyntaf i mi drafeilio i'r Rhyl yn y bore. Popeth gen i, papur, pensal, pin ysgrifennu, rwlar, a phob peth arall a fyddai o ddefnydd i mi. Yn llyfrgell yr ysgol yr eisteddem, i sefyll yr arholiad a fyddai'n newid trefn ein bywydau.

Wrth eistedd yn y neuadd anghyfarwydd honno y sylweddolais pa mor wael oedd ein paratoad at y dasg a'n hwynebai. Y mae yna gyflwr a elwir gan y Sais yn *selective amnesia*, ond nid hwnnw a'n tarawodd ni blant Trelawnyd yn 1938. A dweud y gwir – oherwydd *selective amnesia*, 'ddyliwn – 'dw i ddim yn cofio un o wersi William Humphreys. Ac wrth astudio papurau'r sgolarship, sylweddolais fy mod ar fy mhen fy hun, heb unrhyw fath o baratoad.

Daeth y diwrnod i ben, wrth gwrs. Ac adref â ni, i fyw mewn gobaith y byddai'n hymdrechion dibaratoad yn ddigon i ennill lle i ni yn y *County School*. Pan ddaeth diwrnod mawr y canlyniadau, trosglwyddodd yr Henadur Hughes Jones fy nghanlyniad i i Mam tra oedd o'n dosbarthu llefrith y bore hwnnw. 300 oedd y marc tyngedfennol i basio, ac yn ôl Hughes Jones ces i 365, a oedd yn fy ngosod yn weddol isel ar y rhestr sirol. Ond dyna fo, aeth pedwar ohonom y flwyddyn honno o Ysgol Trelawnyd i Ysgol Ramadeg y Rhyl, Muriel Evans, Dennis Westbrook, Reginald Jones, a minnau. A 'dw i'n reit siŵr fod y tri arall wedi gwneud yn well na mi yn yr arholiad.

A dyna ddiwedd fy nghyfnod yn yr ysgol gynradd, cyfnod llawn hapusrwydd pan oedd nifer fawr o blant y pentref yn cyd-chwarae'n llon gyda'i gilydd. 'Roedd y tiroedd o gwmpas yn llefydd delfrydol fel meysydd chwarae. Dyna Glip y Gop, dros wyth can troedfedd uwchben y môr, o ben yr hwn yr oedd golygfeydd godidog, i lawr at lan y môr yn y Rhyl, i Gilgwri i'r dwyrain, ac ar ddiwrnod clir dyna ddinas Lerpwl. 'Roedd yno hefyd ddarn go helaeth o dir wedi ei orchuddio gan bob math o lwyni a drain, y Rofft, cyrchfan feunyddiol bron i'r holl blant. A dyna'r *Walks* – pam *Walks* 'dwn i ddim – nad oedd yn ddim ond llwybr drwy goed tal. Yno chwaraeem fath o griced, a gweddïo am gael gafael yn y bat yn hytrach na cheisio dal y bêl: un trawiad i'r cyfeiriad anghywir a byddai'n rhaid rhedeg pellter mawr i 'nôl y bêl. Yna Cae Slangs, maes pêl-droed y pentref. Er nad oeddwn i'n disgleirio ar y maes, yr oeddem i gyd yn ceisio cymeriadu'n harwyr, sef y chwaraewyr yr oeddem wedi dod i'w hadnabod drwy gardiau sigarets. Y ddefod oedd eu casglu a chyfnewid rhai ohonynt er mwyn cael set gyfan.

Ie, blynyddoedd hapus, a blynyddoedd diniwed. Doedd plant y tridegau'n gwybod dim am yr erchyllterau a oedd yn rhan o fywyd miloedd yn yr Almaen o dan sawdl y Natsïaid a'u harweinydd Adolf Hitler.

Am ryw reswm 'doedd dim radio yn ein tŷ ni, fy rhieni efallai'n tybied y buasai'r teclyn yn tynnu gormod o fy sylw. Ond oherwydd hyn collais berlau radio di-ri. 'Dw i'n cofio'n dda, tua 1936, y Cymry ymhobman yn edrych ymlaen yn eiddgar at yr ornest focsio rhwng Joe Louis a Tommy Farr yn America, a gâi ei darlledu'n fyw yn y wlad yma am dri o'r gloch y bore. Minnau'n mynd i dŷ Reg Jones i aros dros nos, er mwyn cael codi tua thri i wrando ar y paffio. A 'dw i'n cofio hyd heddiw y siom ddirfawr pan godwyd braich Joe Louis, yntau'n ennill ar bwyntiau, a phawb yng Nghymru'n protestio bod Tommy Farr wedi cael cam.

Y Rhyl

Mis Medi 1938, dyma'r pedwar ohonom yn mynd i'r *County School*. 'Roedd pawb arall o'n hoed ni, nad oedden nhw wedi llwyddo yn yr arholiad, yn cael eu hanfon i Ysgol Eilradd Glyndŵr yn y Rhyl. 'Dw i wedi meddwl erioed fod y gair *eilradd* yn sarhad ar yr ysgolion gwych yma a oedd yn gweld ac yn pwysleisio cryfderau eu disgyblion, ac yn eu tywys at alwedigaethau, yn aml drwy brentisiaeth, galwedigaethau a'u sefydlai fel aelodau gwerthfawr o'u cymdeithas.

'Roedd arholiad y sgolarship wedi'n gwahanu ni'n addysgol, ac fe wnaeth yr un peth yn gymdeithasol. Diolch am Urdd Gobaith Cymru a'r côr plant, a Nhad yn weithgar iawn gyda'r ddau – yno yr oedd holl blant y pentref yn parhau i fod yn unol, heb wahân.

'Anghofia i byth y dyddiau cynnar yn y *County School*. Plant y wlad oeddem ni, yn gymysgfa gyda phlant y dref, gyda phlant dwy dref yn wir, y Rhyl a Phrestatyn, a nifer fawr ohonyn nhw'n nabod ei gilydd yn dda ac yn fwy bydol-wybodus o lawer na ni.

Ysgol Seisnig oedd hi. 'Roedd ynddi athrawon na

19

wyddwn i eu bod nhw'n Gymry tan flynyddoedd lawer wedyn. T. I. Ellis oedd y prifathro, mab yr enwog Tom Ellis, ond er ei fod yn hynod bleidiol i'r iaith 'chafodd y Gymraeg ddim statws o gwbl yng ngweithgareddau'r ysgol. Er enghraifft, gwersi hanes. Buasech yn disgwyl i ysgol yng Nghymru gychwyn y maes llafur gyda hanes Cymru. Ond na, fe'n cyflwynwyd, ni blant a oedd newydd ymadael â Threlawnyd, i hanes cyntefig *"The destruction of Sennacherib"* gan Lord Byron:

The Assyrian came down like the wolf on the fold,
And their cohorts were gleaming in purple and gold.

'Doedd yna ddim gwersi diddorol, dim sôn am ein tywys o dywyllwch i oleuni, dim ond athrawon yn traddodi, a ninnau, yn un-ar-ddeg mlwydd oed, yn gorfod cymryd nodiadau o'r cyfan. Yr unig athro a'n hysbrydolodd oedd yr athro Cymraeg, Leonard Angel, a oedd yn siarp ei dafod a'i hiwmor: "'Dw i ddim yn hoffi'r gair *licio* ond 'dw i'n licio'r gair *hoffi*." Anniddorol hyd syrffed oedd y rhan fwyaf o'r gwersi, a dyna'r rheswm, 'ddyliwn, pam nad oeddwn yn serennu yn yr awyrgylch newydd.

Yna yn 1939 daeth y newyddion syfrdanol ein bod ar drothwy rhyfel yn erbyn yr Almaen. Pan wawriodd Medi'r 3ydd 1939 yr oedd pawb yn syn: ni ddeallai'r plant, ac yr oedd yr oedolion yn drist ac yn poeni'n aruthrol.

Yn 1939 yr unig beth o bleser i ni fel teulu bach oedd symud o Well Cottage i un o'r tai cownsil ar stad Erw Wen ar waelod y pentref. Moethusrwydd llwyr! Toiledau dŵr, tapiau dŵr oer a chynnes, ystafell ymolchi, parlwr mawr, a chael byw drws nesaf i Yncl Jim ac Anti Maggie.

'Roedd James Jones wedi treulio blynyddoedd yn y De – yn wir, y fo oedd ysgrifennydd cyntaf Côr Meibion

Treorci – ac fe briododd yn y De, cyn dychwelyd i'r Gogledd i chwilio am waith yn y tridegau. 'Roeddwn i'n ymwelydd cyson â rhif 14 Erw Wen. 'Roedd Anti Maggie yn ofnadwy o garedig, ac yr oedd ganddyn nhw radio. Yno y clywais i raglenni fel *It's that man again, The Happidrome, In Town Tonight,* a rhaglenni cerddorol fel *Music While You Work.*

A thua'r adeg yma y daeth i fy mywyd i gymeriad a fu'n ddylanwad aruthrol arnaf, cymeriad y soniaf amdano yn y man.

Ddydd Sul Medi'r 3ydd 1939, pan gyhoeddodd y Prif Weinidog Neville Chamberlain ein bod ni'n mynd i ryfel, 'doedd gennym ddim syniad o'r pum mlynedd rhyfeddol a oedd o'n blaen, a dim syniad o'r erchyllderau a oedd yn rhan o batrwm bywyd anffodusion yr Almaen, yr Iddewon yn arbennig. Wrth gwrs, dyma gyfnod yr *evacuees*, y plant o'r dinasoedd mawr yr oedd perygl y caent eu bomio yn cael eu trosglwyddo i bentrefi cefn gwlad ar hyd a lled Prydain Fawr. Ac fe ddaeth nifer i Drelawnyd. Oherwydd natur gwaith fy Mam 'ddaeth yna ddim ymwelwyr ifanc i'n tŷ ni. Ond yn y *County School* yr oedd newidiadau mawr. Cawsom ymwelwyr arbennig, llond ysgol ohonyn nhw, Ysgol St Francis Xavier o Lerpwl, ac fe newidiodd eu harhosiad nhw drefn y dydd i ni. Y ni yn y dosbarthiadau o 9 tan 11 o'r gloch, y nhw o 11 tan 1, y ni o 1 tan 3, ac yna y nhw o 3 tan 5.

Soniais eisoes am Mia Hall, y tŷ crand ar gyrion y pentref. Wel, daeth ysgol Babyddol fechan i'r tŷ hwn, a chriw bach o athrawon – mynaich. Toc, cafodd trigolion Trelawnyd weld y mynaich hyn yn cerdded yn eu *cassocks* drwy'r pentref – yr oedd y cyrtans yn brysur! – gyda'u llyfrau gweddïau yn eu dwylo.

Ond at yr hwn a'r hyn a newidiodd fy mywyd. Bob bore awn ar y bws deng munud wedi wyth i fynd ar y daith hanner-awr i Ysgol Ramadeg y Rhyl. Un bore fe stopiodd y bws wrth Mia Hall, ac fe ddringodd offeiriad arno. Mi fedra i ei weld o rŵan, dyn byr crwn, wynepgoch, heb ddim anarferol o'i gwmpas. Ond dyma ddyn a effeithiodd yn fawr arnaf i, ac ar fy natblygiad cerddorol.

Y bore arbennig hwn yr oedd y bws yn orlawn, ac yr oedd yn rhaid i'r offeiriad sefyll. Heb feddwl bron, codais a chynnig fy sedd iddo, a derbyniodd fy nghynnig. Dyna fu. Rhyw bythefnos wedyn yr oeddwn ar y bws i'r Rhyl unwaith eto – yn fachgen tair-ar-ddeg erbyn hyn. Ymhen dim, pwy ddaeth ar y bws ond yr offeiriad yr oeddwn i wedi rhoi fy sedd iddo bythefnos ynghynt. Daeth ataf i i eistedd, a chychwyn sgwrs. Ei gwestiwn cyntaf oedd, *"What is your greatest interest?" "Music,"* meddwn i. *"What kind of music?"* medda fo. A dyma fi'n sylweddoli nad oedd gorwelion fy amgyffred i o gerddoriaeth ddim pellach na chaneuon y côr plant, rhan-ganeuon y côr cymysg, a chaneuon y côr meibion. Ar wahân i "Siglo, siglo," "Y mae Cyfaill i blant bychain," "Efe a ddaw," "Seren Bethlehem," "Myfanwy" a "Milwyr y Groes," 'doedd gen i ddim gwybodaeth o gwbl o gerddoriaeth nad oedd yn gysylltiedig â chaneuon y corau lleol. Yn lle mynd i lawr wrth Mia Hall arhosodd yr offeiriad ar y bws a dod oddi arno wrth fy nghhartref i yn Erw Wen. Wedi iddo weld lle'r oeddwn i'n byw aeth yn ôl i gyfeiriad Mia Hall.

Y Sul wedyn, tua thri o'r gloch y prynhawn, dyna gnoc ar y drws ffrynt – peth anarferol iawn. Ar ôl ei agor, beth a welais ar y step oedd hogyn tua fy oed i. Wedi sicrhau ei fod yn y tŷ iawn aeth at ei feic a dod yn ôl gyda pheiriant chwarae recordiau – yr hen recordiau 78 – a nifer o recordiau. 'Roedd nodyn gyda'r anrheg: *Listen to these six records as often as you can. Next week I'll send you six more.*

Ac felly y bu. Am y tro cyntaf yn fy mywyd clywais ddarnau o gerddoriaeth na wyddwn ddim oll amdanyn nhw. Clywais y symudiad cyntaf o'r *Consierto i'r Piano* gan Edward Grieg, symudiad cyntaf y *Consierto i'r Piano* gan Tchaikovsky; clywais recordiad llawn – saith o recordiau deuddeg modfedd – o opera Mascagni, *Cavalleria rusticana*; a chlywais lais disglair y tenor Heddle Nash. At hynny, clywais leisiau Caruso, Gigli, Harold Williams, a llu o gantorion eraill a oedd yn enwau pwysig iawn ym myd y gân. Ac mi glywais berfformiadau gan bianydd a ddaeth yn eilun i mi, yr anhygoel Thomas Fats Waller. Beth oedd ef yn ei wneud yng nghanol y recordiau hyn 'dwn i ddim, ond y mae *"Ain't misbehavin'"* a *"When somebody thinks you're wonderful"* yn ffefrynnau mawr gen i byth ers hynny. Clywais hefyd symffonïau a chaneuon a rhan-ganeuon o fyd yr opera ac o oratorios.

Enw'r mentor arbennig hwn oedd y Brother Redmond, a ddaeth ym mhen amser yn Uwch-arolygwr ar ysgolion Pabyddol yng Ngogledd Lloegr. Gofynnodd i mi un diwrnod beth oedd y côr cymysg yn ei ddysgu. Minnau'n dweud ein bod yn ceisio dysgu'r oratoria *Eleias* o waith Mendelssohn. O fewn wythnos fe landiodd yn 13 Erw Wen gasgliad o recordiau o'r gwaith, recordiau yr oedd ef wedi'u hurio am chwe mis er mwyn i mi gael gwrando arnynt a'u dysgu. Heddiw, pe bai offeiriad Pabyddol yn dangos diddordeb fel hyn mewn hogyn ifanc byddai yna aeliau'n codi. Yn wir, fe ddwedodd un o drigolion y pentref wrtha i, "Gatsia di'r blydi Catholics 'na." Ond fe aeth y cyfnod heibio, ac fe aeth y Brother Redmond allan o 'mywyd i, ond wna i byth anghofio'i ddylanwad cerdd-orol arnaf. Petai rhywun yn gofyn i mi enwi'r dylanwad cerddorol mwyaf arna i erioed, buasai'n rhaid i mi enwi'r Brother Redmond.

Yr oedd 1939 hefyd yn flwyddyn cynnal yr Eisteddfod Genedlaethol yn nhref Dinbych. Gan ei bod mor agos penderfynodd fy Nhad y dylwn i gystadlu ar yr unawd i fechgyn o dan 16. Dwy gân i'w dysgu, "Y fwyalchen ddu bigfelen" a "Bugeilio'r gwenith gwyn."

'Roedd cyrraedd Dinbych yn broblem, ond drwy garedigrwydd fy ewyrth Ned Holland cawsom fynd yn ei gar o waelod pentref Dyserth (ninnau wedi mynd yno ar y bws o Drelawnyd). Cynhaliwyd y rhagbrawf yn ysgoldy capel Pendref, ac yr oedd tuag ugain yn cystadlu. Er mawr syndod cefais fy ngosod ar y llwyfan. Ac er mwy o syndod fe'm dyfarnwyd yn fuddugol. 'Roedd fy Nhad a'm Mam wrth eu bodd, wrth gwrs.

Arweiniodd y fuddugoliaeth at wahoddiadau i ganu mewn cyngherddau lu. 'Roedd cefnder i fy Nhad, Charles Nuttall, yn ŵr cyfoethog, ac yn un o gyfarwyddwyr tîm pêl-droed Everton, a hefyd ar fwrdd cyfarwyddwyr y *Central Pier* yn Blackpool. A dyna sut y cefais i ganu ar lwyfan y neuadd gyngerdd yno ar Sul olaf Medi 1939. 'Dw i'n cofio f'ewyrth Charles yn paratoi geiriau i'w gosod o dan fy llun yn y *Prestatyn Weekly*: yn eu plith yr oedd y geiriau *He received a vociferous welcome from hundreds in the theatre* – a 'Nhad a finna heb ddim syniad beth oedd ystyr *vociferous*.

Ond yn ôl at yr Eisteddfod. Yn Saesneg yr oedd y feirn-iadaeth, ac y mae ynddi un frawddeg sydd wedi peri chwilfrydedd i mi byth er hynny: *He sang the song with the understanding of a boy of his age.* Cefais ganu yn y theatr ar y pier yn Llandudno, a rhyfeddu at weld fy enw uwchben y giât wrth ochr enw soprano enwog iawn yn ei dydd, Helen Hill: *RHYS JONES, the amazing boy soprano.*

'Dw i'n cofio mynd yn ôl i'r ysgol ym Medi 1939 a neb yn sôn am y fuddugoliaeth. Ond un diwrnod yn y wers hanes dywedodd yr athro, Mr Houghton, *"I understand you had some success in the National Eisteddfod, Jones."* Minnau'n gwrido ac yn cyfaddaf imi'i gael. Yntau'n gofyn wedyn, *"What was the prize, Jones."* *"One guinea, sir."* *"Anything else, Jones?"* A dyna pryd y rhois i fy nhroed ynddi. 'Rown i'n chwilio am y Saesneg i'r gair *tystysgrif*, ac yn cofio i 'Nhad ddweud fy mod wedi cael stifficet. Felly, meddwn i, *"I had a sustificate, sir."* Pawb yn chwerthin a minnau'n gwrido mwy, a Houghton yn dweud, *"We aren't laughing at your success, Jones, merely at your strange method of pronunciation."* Ni hoffais i mohono o hynny ymlaen.

Gan nad oedd radio yn 13 Erw Wen, ni chlywais i ddim o'r cyhoeddiad o enau'r Prif Weinidog a oedd yn cloi gyda'r geiriau brawychus *Consequently, this country is now at war with Germany.* Ni chafodd y rhyfel ryw lawer o effaith ar ein bywydau ni'r plant yn Nhrelawnyd. Oedd, yr oedd yna ddogni, a ninnau'n cael prynu ond ychydig iawn o fenyn a siwgr a beth bynnag a oedd yn cael ei fewnforio i Brydain. Bu'n rhaid i 'Nhad droi'r ardd yn fan i dyfu tatws a moron a bresych a llysiau eraill. Ar ben hyn yr oedd ganddo res o datws ynghyd â rhes o rwdins mewn cae yn agos i'r pentref. Byddem yn mynd yno o bryd i'w gilydd i weld beth oedd hynt yr hyn a blannwyd.

Un o'n hanturiaethau ni'r plant y blynyddoedd hyn oedd dringo i ben Clip y Gop y tu ôl i'r pentref i wylio'r llongau wrth y dwsinau, y *convoys*, yn cario nwyddau a bwyd o America i Brydain, i borthladd Lerpwl yn arbennig.

Os oedd y *convoys* i'w gweld, yr oeddem yn eitha siŵr y byddai'r awyrennau Almaenig yn hedfan dros Ogledd Cymru i ollwng eu bomiau dinistriol ar borthladd Lerpwl. Ar ôl y rhyfel y daethom ni i ddysgu beth oedd llwybr yr awyrennau dieflig. Gan fod Sbaen, Portiwgal ac Iwerddon yn wledydd niwtral yn y rhyfel, byddai awyrennau'r Almaenwyr yn hedfan dros Sbaen a Phortiwgal ac yna'n troi i'r gogledd ac yn hedfan dros Dde Iwerddon cyn troi wedyn at Ogledd Cymru, ac yn dilyn yr arfordir i ollwng eu negeseuon dinistriol ar drigolion Lerpwl. Gwelem y cyfan o ben Clip y Gop.

Ar ôl bomio'r ddinas byddai'r awyrennau'n troi'n ôl am yr Almaen, ac os nad oedden nhw wedi gollwng eu bomiau i gyd byddent yn eu gollwng ar eu siwrne adref. Dyna pam, 'ddyliwn, y disgynnodd bomiau anferth ar rai o bentrefi'r Gogledd. Yn Nhrelogan, heb fod nepell o Drelawnyd, disgynnodd dwy fom anferth – yn ffodus, ar ddau gae – gan greu tyllau anferth yn y tir. Yn Ffynnon-groyw, sy'n bentref o un rhes o dai o bobtu'r stryd, disgynnodd bom ar yr unig ddarn o dir glas sydd yno. Stori sydd erbyn hyn yn ddihareb yno yw honno am yr aderyn bach, y bwji, a laddwyd gan ddarn o shrapnel a ddisgynnodd yn un pen i'r pentref, a drafaeliodd gan llath ar hyd y pentref, ac a aeth i fewn drwy ffenest cegin yn ei ben draw gan ladd y deryn anffodus yn ei gaets.

Yn Wrecsam disgynnodd bomiau ar fynyddoedd Minera, a chan mai mawn oedd yno aeth y cyfan yn fflamau. Rhaid bod y gelyn wedi meddwl bod rhywbeth arbennig iawn yno, achos fe ddaethon nhw'n ôl noson ar ôl noson a bomio'r lle'n ddidrugaredd – heb sylweddoli nad oedden nhw'n bomio unrhywbeth o bwys, dim ond mynydd o fawn.

Dyna pryd yr ymunais i â'r ARP, yr *Air Raid Precautions*, a threulio sawl noson o tua naw o'r gloch y nos tan tua phedwar o'r gloch y bore ym mhencadlys yr ARP yn yr Hen Bopty yn y pentref. 'Roedd ein dyletswyddau'n syml iawn – cerdded o gwmpas y pentref i chwilio am lygedyn o olau a oedd i'w weld rhwng y cyrtans trwchus a oedd yn gorchuddio ffenestri'r tai, ac yna'n ôl i'r pencadlys am baned o de. Gorchwyl diflas; er, sawl tro, ces gymdeithas merch ifanc hynod ddeniadol, a'r ddau ohonom â mwy na rhediad y rhyfel yn ein meddyliau.

Yn yr ysgol – diflastod llwyr. 'Roedd yr athrawon ifainc wedi gadael eu swyddi i ymuno â'r lluoedd arfog, a chan hynny galwyd ar athrawon a oedd wedi ymddeol yn ôl i weithio. Am hynny, i mi beth bynnag, blynyddoedd diflas oedd y blynyddoedd rhwng 1939 a 1943, blynyddoedd y paratoi at arholiad holl bwysig y CWB, y *Central Welsh Board*. 'Roedd rheolau'r Bwrdd yn eitha cadarn. 'Roedd yn rhaid pasio pum pwnc o leiaf, Saesneg wrth gwrs, mathemateg, iaith estron (a, diolch i Dduw, yr oedd Cymraeg yn cyfrif fel iaith estron), un pwnc gwyddonol, ac un pwnc celfyddydol. Y broblem y pryd hwnnw oedd y byddai'n rhaid i chi ail-sefyll y cyfan os byddech yn methu mewn un pwnc. 'Doedd yna ddim llwyddo mewn *instalments*.

Rŵan 'te, yr oeddwn i mewn tipyn o benbleth. 'Doedd gwyddoniaeth, ar wahân i Fywydeg, ddim yn un o'm cryfderau. Yn wir, mae gen i gof chwerw ofnadwy o fod yn neuadd yr ysgol yn sefyll arholiad yn y Gymraeg pan ddaeth yr athro Cemeg, a oedd yn goruchwylio ar y pryd, at fy nesg, a dweud mewn llais a oedd yn glywadwy i bawb, *"I do hope you're more successful in this subject than you were in my Chemistry paper: you scored an extraordinary 13%."*

Dyna pryd y sylweddolais nad oedd yn rhaid i mi geisio gwneud pethau a oedd uwchlaw fy ngallu. A dyma fi'n holi'r dirprwy-brifathro a gawn i sefyll Ysgrythur yn lle Cemeg a Cherddoriaeth yn lle Ffiseg, ac er mawr lawenydd i mi cytunodd.

Rŵan 'te, yr oedd gennyf athro piano, ond 'doedd ganddo fo ddim moddion i'm paratoi ar gyfer yr arholiad. Diolch i'r drefn, yr oedd gennym athro Ysgrythur ysbrydoledig. Nid Ysgrythur oedd ei faes, ond yr oedd ganddo'r ddawn i'n tanio ac i wneud i ni fod eisiau dysgu mwy am y pwnc. Y diweddar Moses Jones oedd ef, a ddaeth ymhen amser yn Ddirprwy-Gyfarwyddwr Addysg Sir y Fflint. Diolch iddo, a choffa da amdano – Cymro arbennig iawn.

1943 oedd blwyddyn arholiad hollbwysig y CWB. Mi wnes yn eitha da, a dweud y gwir, gan lwyddo mewn digon o bynciau i warantu llwyddiant. Y rhyfeddod oedd imi lwyddo yn yr arholiad Cerdd heb gael yr un wers yn y pwnc. Flynyddoedd lawer yn ddiweddarach, mewn ystafell ragbrawf yn yr Eisteddfod Genedlaethol, gwelais lyfr o gwestiynau arholiad 1943. Y rhyfeddod i mi erbyn hynny oedd imi lwyddo mewn pwnc na wyddwn ddim amdano.

Fel plant y wlad mewn ysgol a oedd yn orlawn o blant *street-wise* y dref, yr oeddem ni, hogiau a merched y cyrion, yn teimlo nad oedd gennym ryw lawer i'w gyfrannu at ethos trefol yr ysgol. Syndod i ni flynyddoedd wedyn oedd clywed bod plant y dref yn edmygus iawn o blant y wlad, yn enwedig felly ym mis Mawrth, adeg eisteddfod yr ysgol, a ninnau'n ennill gwobrwyon di-ri. 'Dw i'n cofio cystadlu ar yr unawd, yr adrodd, yr araith ddifyfyr, yr unawd piano, a'r unawd ar unrhyw offeryn arall. Diolch i Yncl Jim Munsen a oedd wedi ffoi o Lundain i dŷ Anti Maggie yn Nhrelawnyd, ac a ddaeth â'i biano-acordion hefo fo, cefais ddigon o gyfle i ddysgu chwarae'r offeryn hynod hwnnw.

I ddychwelyd at arholiadau tyngedfennol y CWB yn 1943, fel y dywedais cefais ganlyniadau eithaf teg, canlyniadau a oedd yn wir yn adlewyrchu fy medr a'm hymdrechion dros gyfnod y paratoi. Y pynciau gorau gen i oedd Cymraeg, Cerdd ac Ysgrythur. Er, mae'n rhaid nodi mai Cymraeg i ddysgwyr oedd Cymraeg Ysgol Ramadeg y Rhyl. 'Roedd yna *Welsh/Welsh* ac *English/Welsh*. Canlyniad da mewn *English/Welsh* ges i.

Ond yr oedd y safon yn ddigon uchel i mi fynd, yn llawn gobaith, at yr athro a oedd yn gyfrifol am y chweched dosbarth. Mr Houghton oedd y bonwr yma, a 'dw i'n amau ei fod wedi synnu braidd fy mod i wedi llwyddo'n weddol dda. Y cam nesaf wedi'r CWB oedd yr *Higher* (Lefel-A heddiw). Es i'n eitha ffyddiog at yr athro a gofyn iddo a fuasai'n bosibl i mi astudio tuag at yr *Higher* yn y pynciau yr oeddwn wedi llwyddo'n dda ynddyn nhw. Ar ôl gwrando ar fy nghais, trodd Mr Houghton ataf i'n weddol sarhaus, a dweud, *"Oh no, Jones, you're not Higher material. Think of something else."*

A dyma fynd adref dan bwn y neges a oedd wedi fy llethu'n llwyr. Petasai fy mab i wedi dod adref hefo'r fath neges mi fuaswn i yn yr ysgol y bore wedyn yn holi pam. Ond ymateb fy rhieni, a oedd yn anwybodus ym maes addysg, oedd, "Wel, os dyna mae'r athro'n ei ddweud, falla'i fod o'n iawn."

(Gyda llaw, flynyddoedd yn ddiweddarach, a minnau erbyn hynny'n brifathro ar Ysgol Mornant Ffynnongroyw, bu'n rhaid i mi dreulio ychydig ddyddiau yn yr ysbyty yn y Rhyl. A phwy ddaeth o gwmpas y gwelyau i ddosbarthu rhyw bamffledi crefyddol ond fy nghyn-athro Mr Houghton. Ar ôl iddo fy adnabod holodd beth oedd fy hanes. Minnau'n dweud fy mod yn athro yn Ffynnongroyw. A meddai, yn eitha sarhaus yn fy meddwl i, *"And what is your position in this school?" "I'm the headmaster,"* meddwn i. A medda fo'n ddigon sarrug, *"You must have been an exceedingly late developer."* Efallai'n wir ei fod yn iawn!)

Beth bynnag am hynny, yr oedd yn rhaid i'r Rhys Jones un-ar-bymtheg oed feddwl am ei ddyfodol. Awgrymodd rhywun y dylwn feddwl am y byd addysg a gyrfa fel athro. Y flwyddyn 1943 oedd hi, fel y cofiwch, y rhyfel ar ei waethaf, a'r dyfodol yn anodd ei broffwydo. Dyma glywed bod llefydd agored yn y Coleg Normal ym Mangor. A dyma holi, a chael ar ddeall bod llefydd ar gael am fod pawb o oedran coleg wedi'i alw i'r lluoedd arfog. Cefais gyngor wedyn i dreulio blwyddyn fel athro ar brawf, *student teacher*, ac wedi holi yn y pencadlys yn yr Wyddgrug cefais fy anfon i Ysgol Gynradd Dyserth, y pentref agosaf i Drelawnyd, dair milltir go dda i ffwrdd. Deall wedyn fod merch o'r Marian uwchben Trelawnyd, merch o'r enw Mary Jones, yn athrawes yno. Cysylltu hefo hi, a threfnu i fynd hefo hi i weld y prifathro, Mr Bellis Jones.

Da bod gen i feic, oherwydd dyna'r unig ffordd y gallwn gyrraedd yr ysgol mewn da bryd. 'Roedd trafaelio i Ddyserth yn hawdd – 'doedd dim rhaid gwneud dim ond *freewheelio* i lawr yr elltydd ac ymhen dim yr oeddwn yno. Ond yr oedd trafaelio *adref*, cerdded i fyny'r elltydd ar ddiwedd y dydd, yn fater gwahanol iawn!

Ond dyma flwyddyn a fu o wir werth i mi: cael y cyfle i astudio dulliau dysgu athrawon gwych, ac wrth gwrs y cyfle i sefyll o flaen dosbarth a chymryd ambell wers. Dyma'r flwyddyn y sylweddolais i mor ddelfrydol oedd fy ngallu i ganu'r piano: yr oedd gan blant y cyfnod – fel plant heddiw, mae'n siŵr gen i – ryw edmygedd rhyfedd o unrhyw un a oedd yn gallu tynnu alawon o grombil offeryn.

Ddechrau 1944, â'r newyddion am rawd y rhyfel yn ein cyrraedd drwy'r papurau – y *Daily Herald* yn ein tŷ ni – gosodwyd map enfawr o Ewrop ar wal y gegin, ac yno'r oeddem ni'n dilyn hynt a helynt yr ymdrech i adennill y tiroedd o afael yr Almaenwyr.

A dyna'r cyfnod y cysylltais â'r Coleg Normal i ofyn a gawn i fynd yno fel myfyriwr ym mis Medi'r flwyddyn honno. Daeth ateb cadarnhaol. Y mae'n amlwg fod yna brinder cyw-fyfyrwyr yn 1944! A dyna ddechrau paratoi ar gyfer cyfnod newydd cyffrous yn fy mywyd. Gan fod *Rural Science* yn un o'r pynciau a ddewisais – peidiwch â gofyn pam – es i weithio am beth amser fel garddwr yng ngerddi Mia Hall, cartref y mynaich Pabyddol ar gyrion y pentref, a dysgu dim! Ond dyna fo, yr oeddwn wedi dangos diddordeb, on'd oeddwn?

Felly, ym mis Medi 1944, dechreuodd fy ngyrfa fel

myfyriwr yn y Coleg Normal, a minnau'n ddwy-ar-bymtheg mlwydd oed, hogyn ysgol fwy neu lai. 'Doeddwn i'n nabod neb arall a oedd ar ei ffordd yno, ond darganfûm ar ôl cyrraedd fy mod yn un o ryw ddeg-ar-hugain o fechgyn ifainc â'r un awydd ynom. Deg-ar-hugain o fechgyn ifainc, a thros ddau gant o ferched. 'Dw i'n dweud dim ...

Mam yn Nyrs ifanc tua 1918.

Fy Nhad yw'r trydydd o'r dde yn ei wisg gwaith.

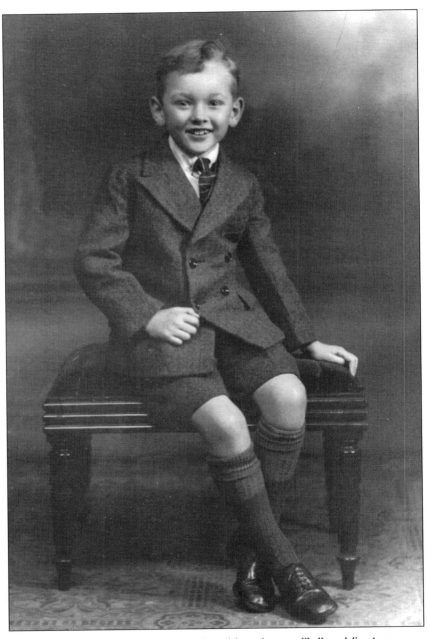

Y Rhys Jones deuddeng mlwydd oed – wedi'r llwyddiant yn Eisteddfod Genedlaethol Dinbych 1939.

Yn fy ngwisg band yn y gwersyll yn Nescliffe ger Amwythig.

Yn rhwyfo ar y Serpentine yn Llundain – cyn cyfarfod Gwen. Dyddiau pan oedd gen i ddigonedd o wallt.

Hogia'r Normal yn 1945. Y fi 'di'r ail o'r chwith yn yr ail res.

Fy nosbarth cyntaf yn Ysgol Gynradd Ffynnongroyw nôl yn y flwyddyn 1948.

Capel Bethania,
Ffynnongroyw lle priodais i â
Gwen ar y 4ydd Ebrill, 1953.

Torri'r gacen yn ysgoldy
Eglwys Bethania,
Ffynnongroyw ar ddydd ein
priodas.

Rhieni Gwen –
Gwilym a Cill Parry
ddydd eu priodas
ym 1925.

"Pan oedd Nain yn ifanc
a'r plant yn ddim o beth" –
Gwen, Caryl a Dafydd,
tua 1960.

Dafydd yn ei ddyddiau cynnar – cyn wynebu gwaith, gwraig a phlant.

Caryl yn un o'i chyfresi teledu.

Gwen – yn ystod ei chyfnod fel unawdydd. Does ryfedd mod i'n ei ffansio mor eiddgar!

Jane Evans, Eisteddfod yr Urdd Aberystwyth 1969. Hi oedd y cyntaf i ganu 'O Gymru'.

Côr Merched Ysgol Gyfun Treffynnon wedi'r llwyddiant yn Eisteddfod Genedlaethol yr Urdd ym Mhorthaethwy.

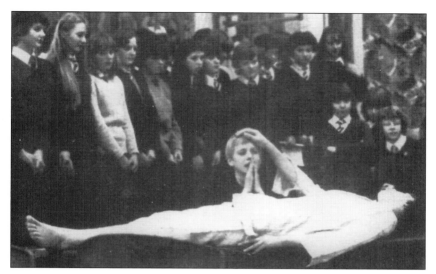

Rhys Ifans yn gweddïo, a rhai o ddisgyblion Ysgol Maes Garmon yn y sioe 'Rhys' – a oedd yn seiliedig ar Rhys Lewis gan Daniel Owen.

*Tri oedd yn gyfrifol am y sioe Ffantasmagoria ym 1977.
O'r chwith i'r dde: Owain Evans (cynhyrchydd), Bob Roberts (awdur),
a fi wrth gwrs.*

Ar y ffordd i dderbyn y Wisg Werdd yn Eisteddfod Genedlaethol Rhydaman nôl yn y saithdegau. Gyda mi mae y gantores Mary Hopkyn, y diweddar R. Davy Jones (cyfeilydd galluog) a'r diweddar Emyr Jones (awdur y geiriau 'Diolch i'r Iôr').

Creadigaeth yr arlunydd hynaws Meirion Roberts cyn Eisteddfod Genedlaethol Y Rhyl 1985. Tybed fedrwch chi enwi pwy ydynt?

Fy hen gyfaill, y diweddar Gilmor Griffiths a minnau. Roedd Gilmor yn gerddor hynod amryddawn a phoblogaidd.

Y diweddar Dafydd Owen a minnau ar derfyn Cymanfa Eisteddfod Genedlaethol yr Wyddgrug 1991. Cymanfa y cefais y fraint o'i harwain.

*Cyflwyno ar faes Eisteddfod Ryngwladol Llangollen.
Paratoi cynnal cyfweliad hefo Wyn Thomas o Brifysgol Bangor.*

*Eisteddfod Mynytho.
Yr unig lun ohonof yn
beirniadu.*

*Y bariton Gwyn Jones,
Llanelwy ar y chwith. Un
o'r lleisiau gorau a glywais
erioed. Gwen fy ngwraig
yn y canol a'r tenor Bob
Roberts ar y dde. Enillodd
Bob y Rhuban Glas yn y
Genedlaethol ddwywaith.*

Deuawd piano a sacsaffon – y fi a Llys-gennad Prydain yn Nigeria.

Nigeria eto – derbyn croeso twymgalon gan nifer o bwysigion Ibadan. Tref i'r gogledd o'r brifddinas, Lagos.

Y llun cyntaf erioed o Gantorion Gwalia a dynnwyd yn y flwyddyn 1958.
Bellach, dim ond dau ohonom sy'n fyw – y fi a Maldwyn Roberts, sy'n eistedd agosaf i'r piano.

Y llun olaf o'r Cantorion.

Rhes gefn: Dilwyn Price, Maldwyn Roberts, Norman Roberts, Ken Jones, Wil Williams.
Rhes ganol: Geraint Roberts, Graham Oakes, Tecwyn Evans, Glyndwr Richards, Iorwerth Roberts, Iwan Davies.
Rhes flaen: Gwilym Thomas, Hywel Price, Fi, Bob Roberts, Penri V. Evans, Meuryn Ellis.
Yn eistedd: Trebor Jones a Ritchie Jones.

Noson gymdeithasol i aelodau Cantorion Gwalia a'u gwragedd hir eu hamynedd.

*Gwen a minnau yn mwynhau pum munud tawel yn Sorrento.
Yr unig beth arall a gofiaf am Sorrento yw bod angen côt
go dda o baent ar y lle!*

*Fy nghhar cyntaf – Austin 7 o'r flwyddyn 1932 – yr unig beth a allwn ei
fforddio yn 1948. Testun cryn dynnu coes mae arnaf ofn.*

Gwen a minnau bellach. Yn dal mewn cariad!

PENNOD 3

Y Coleg Normal

'Roedd y flwyddyn 1944 yn flwyddyn dyngedfennol bwysig ym mywyd ein teulu bach ni. Fi yn gadael cartref am y tro cyntaf ac yn mynd i goleg ym Mangor, fy Mam yn newid cylch ei gweithgarwch, a 'Nhad – wel, i 'Nhad, 1944 oedd y flwyddyn a arweiniodd at dorri ei galon.

Tua diwedd y rhyfel, a ninnau fwy neu lai'n gwybod ein bod am fod yn fuddugoliaethus, yr oedd y llywodraeth – y glymblaid, wrth gwrs – yn ceisio edrych ymlaen a gosod seiliau cadarn i adeiladu'r dyfodol. Hyd at 1944 yr oedd y nyrsus cymunedol, yr hen *district nurses*, yn cael eu cyflogi gan eu cymdeithasau lleol. A'n cymdeithas leol ni, y saith milltir sgwâr a ddisgrifiais yn y bennod gyntaf, a dalai gyflog fy Mam, £120 y flwyddyn. Am y swm hwnnw yr oedd hi i fod ar gael bedair awr ar hugain y dydd bob dydd o'r flwyddyn. Diwrnod mawr yr hydref yn Nhrelawnyd oedd dydd Sadwrn codi'r arian i dalu cyflog y nyrs. 'Roedd Nain yn dod atom ni i aros am ryw wythnos, ac yn paratoi poteli o bicls, cabaits coch, a phicalili. A da dweud eu bod i gyd yn gwerthu'n dda, a Nain yn troi am Goed-llai yn wên i gyd wedi'r diwrnod mawr.

Cynllun y llywodraeth oedd uno rhai o gymunedau'r nyrsus a thalu mwy iddynt. Y cynllun yn Nhrelawnyd oedd uno gyda chylch Dyserth – yr oedd y nyrs yno ar fin ymddeol – a chreu cylch ehangach, mwy effeithiol. O gael y swydd gallai fy Mam ddal i fyw yn Nhrelawnyd ynghanol ei phobl a gweithio mewn ardal ehangach. Am ryw reswm – mympwy un gŵr arbennig, a dweud y gwir, gŵr a oedd yn ddylanwadol yn y pentref, a gŵr a ddylai fod wedi ymgynghori â'r trigolion cyn penderfynu fel unben – gwrthododd Cymdeithas Nyrsio Trelawnyd gytuno i'r cynllun, gan beri i'm Mam golli cyflog o £360 y flwyddyn, tair gwaith ei chyflog cynt, yn ei bro.

Yna yn ddisymwth daeth iddi wahoddiad o dref Caerwys i fynd yno i weithio i Gymdeithas Nyrsio Caerwys a Nannerch – eto am dair gwaith ei chyflog cynt, a char *Austin 7*. Gan fod pethau yn Nhrelawnyd wedi suro braidd derbyniodd fy Mam y cynnig caredig, ac erbyn Nadolig 1944 yr oedd hi a 'Nhad wedi symud tŷ i Gaerwys.

'Rŵan 'te, yr oedd fy Nhad wedi cael ei eni a'i fagu yn Nhrelawnyd. Yno'r oedd ei gôr meibion, ei gôr cymysg, a'i gôr plant. Yno'r oedd ei gapel, Ebeneser, yr addoldy yr oedd mor arbennig o ffyddlon iddo. 'Roedd symud i dref ddieithr yn ergyd drom iddo fo, a 'dw i'n hollol argyhoeddedig fod y newid syfrdanol yma'n ei fywyd wedi effeithio'n andwyol arno. Pan ddaeth y dyddiau blin, fe ddioddefodd dan rwymau clefyd dychrynllyd, fe dorrodd ei galon, a phan fu farw bu farw wedi blynyddoedd lawer o ddioddef poenau difrifol. 'Dw i'r un mor argyhoeddedig petasai Trelawnyd wedi gwrthod dyfarniad yr un dyn dylanwadol y soniais amdano ac wedi cytuno â'r cynllun gwreiddiol, y buasai fy Nhad wedi mwynhau i'r eithaf ei

34

flynyddoedd olaf, wedi'i amgylchu gan gyfeillion a oedd o'r un anian ag ef a'r un diddordebau.

Ac, wrth gwrs, dyna'r flwyddyn y trafaeliais i ar y trên i Fangor, y siwrne drên hiraf erioed i mi. Trên i Dreborth, cerdded oddi yno i Hostel y George ar lannai'r Fenai, a chychwyn ar ddwy flynedd ddelfrydol. Bywyd newydd, ffrindiau newydd, a system addysg a oedd yn ein parchu ac yn ein harwain yn llawn hyder. Rhaid cofio mai hogiau ifainc iawn oeddem – tua'r dwy-ar-bymtheg mlwydd oed – heb wybod dim am fywyd, 'ddyliwn – ond yn llawn dop o egni a gobaith. Deg-ar-hugain ohonom, yn barod i fentro ar bob dim, ac yn hapus iawn o'n cyfle.

'Roedd y George ar safle arbennig o hyfryd reit ar lan y Fenai, rhyw filltir go dda o adeiladau'r Coleg Normal. Eithaf llym oedd y ddisgyblaeth: gwasanaeth boreol am wyth o'r gloch a gwasanaeth cloi'r dydd am chwarter wedi deg yr hwyr. Dysgodd nifer dda ohonom i redeg y siwrne o'r Coleg i'r Hostel mewn amser a fyddai wedi'n harwain yn hyderus tua'r *Olympics*.

Dyma ddwy flynedd a oedd yn orlawn o brofiadau newydd – cyfarfod hogiau a ddaeth yn ffrindiau agos, clywed seiniau acenion dieithr iawn i mi, a chael astudio pynciau dan ofal rhai athrawon arbennig iawn.

Mi wnes i un camgymeriad dybryd wrth ddewis pynciau. 'Ddylswn i erioed fod wedi dewis *Rural Science* fel pwnc – 'doedd gen i ddim diddordeb o gwbl yn y maes, ac yr oedd fy anwybodaeth yn amlwg i bawb, yn enwedig i'r athrawes. Diolch i'r drefn fy mod wedi casglu ffeil drwchus o wybodaeth am y pwnc, a dyna beth a'm hachubodd, a sicrhau canlyniad boddhaol.

'Roeddwn wedi dewis Cymraeg fel un o'm pynciau, er bod llawer yn gwenu, neu'n gwaredu, bod hogyn o Sir y

Fflint am fentro astudio'r Gymraeg. Mi wnes yn ddigon da i ennill marc eithaf da yn y pwnc.

O'r pynciau a ddewisais, un o'm ffefrynnau oedd Astudiaethau Ysgrythurol, yn bennaf am mai'r athro ysbrydoledig oedd Ambrose Bebb, un o sylfaenwyr Plaid Cymru, wrth gwrs. 'Roedd ganddo fo'r ddawn garismataidd i'ch denu i gredu mai ei bwnc o oedd y pwysicaf yn y byd. Mi wnaethom osgoi Moses ac Abraham sawl tro oherwydd i'r athro gael ei berswadio i adrodd hanes cynnar y Blaid – a thrwy hynny ein troi yn genedlaetholwyr cadarn.

A dyna Stanley Jones yr athro Saesneg, un a oedd wrth ei fodd gyda'i bwnc, ac un yr oedd ganddo'r gallu i greu ynom gariad at eiriau ac at y ddawn o gyfathrebu, cymhwyster anhepgorol i gywion athrawon. Y fo oedd yr un a ddeallai orau mai dim ond hogiau ysgol oedden ni mewn gwirionedd, a theilwriai ei wersi yn union i'r pwrpas iawn. Er enghraifft, pan yn sôn am eiriau o'r un sain ond o wahanol ystyron, yr oedd ganddo linellau sydd gennyf i hyd heddiw: *the curate told the vicar, the vicar told the sexton, and the sexton tolled the bell.* Ac ar ôl dweud y pethau hyn byddai'n camu oddi ar ei lwyfan ac yn ein hannog i chwerthin – a ninnau'n dysgu gwers heb yn wybod inni bron.

Dawn brin oedd dawn Stanley Jones. Yn ystod fy ail flwyddyn yn y coleg cafodd ffrind i mi, Harry Lamb o Fwcle, a minnau ein gosod yn ystafell 52, reit ar ben draw llawr uchaf yr Hostel, y drws nesaf i Stanley Jones. 'Roedd yn gwybod fy mod i'n un o ddisgyblion cerdd Miss Enid Williams, a gofynnodd i mi un diwrnod, *"What's your set work in music?" "Beethoven's Piano Quintet,"* meddwn i yn swil. *"I've a record of it in my room,"* medda fo, *"Come and see me at six."* Ac i mewn â mi, y sgôr yn fy llaw, a chael clywed am y tro cyntaf yn fy mywyd seiniau Beethoven tra'n darllen y nodau yn fy llaw.

Ychydig iawn ohonom a ddewisodd gerddoriaeth fel testun astudiaeth, a llai fyth ohonom a aeth i'r dosbarth arbennig, tua hanner dwsin yn unig.

Miss Enid Williams – *Ginge* i bawb – oedd yn arwain hwnnw. Un eiddil o gorff oedd Miss Williams, ond teigres o foneddiges a oedd yn ein rheoli hefo'i thafod miniog. Ac eto, yr oedd pawb yn ei haddoli ac yn fodlon gwneud beth bynnag y mynnai. O dan ei harweiniad cawsom ddwy flynedd o astudiaeth a oedd yn ddiddorol tu hwnt ac yn ychwanegiad gwerthfawr i'n stôr o wybodaeth a'n dealltwriaeth gerddorol.

Un o uchafbwyntiau pob wythnos oedd noson ymarfer y côr, a gâi ei gynnal yn neuadd y Coleg. 'Roedd *Ginge* yn uchelgeisiol: un flwyddyn y Meseia, y flwyddyn ddilynol Offeren Mozart, – perfformiadau gan gôr o ieuenctid yn eu harddegau, cofier. 'Dw i'n cofio'n dda Miss Williams yn cynnig gwrandawiad i mi: eisiau mesur fy ngwerth fel unawdydd yr oedd hi. Gwrandawodd arnaf yn canu, ac wedi imi orffen meddai hi, *"Do you know, Rhys, you've got really good diction."* Mewn geiriau eraill, dim llawer o lais canu!

Ond fy nghof parhaol o'r ystafell gerdd ar lawr ucha'r Coleg yw cerdded iddi un prynhawn a chlywed am y tro cyntaf berfformiad o gân a oedd yn newydd i mi, ac a aeth yn syth at fy nghalon, ac aros yno tan heddiw. Cofiwch, gwrando yr oeddwn ar un o'r hen recordiau 78, ar hen beiriant yr oedd yna handl i'w grancio i fodolaeth. O'r peiriant henffasiwn hwn y clywais y berl o waith César Franck, *"Panis Angelicus,"* "Bara Angylion Duw," a pherfformiad gwefreiddiol gan yr Eidalwr Beniamino Gigli. Flynyddoedd lawer wedyn ces hyd i gryno-ddisg o'r union recordiad hwnnw, a hyd heddiw 'dw i'n ei drysori.

Un arall o ddyletswyddau Miss Enid Williams oedd gwella ynganiad Saesneg y myfyrwyr, yn enwedig y myfyrwyr o ardaloedd hollol Gymraeg. Gan fy mod i o Sir y Fflint cefais osgoi'r sesiynau hyn, ond yr oedd pawb yn gwybod am ddyfeisgarwch *Ginge*. Byddai'n dysgu'r rhai tew eu tafodau sut i ynganu *snack bar*. Nid *snack bar* oedd o iddi hi, ond *sneck bah*.

Coffa da am foneddiges ryfeddol o garismataidd a ddylanwadodd yn fawr ar lawer iawn ohonom. Nid hi oedd yr athrawes orau erioed, ond oherwydd ei phersonoliaeth ryfeddol a'i brwdfrydedd heintus plannodd yn ein heneidiau gariad at ei phwnc ac awydd i drosglwyddo'r cyfan i genedlaethau o blant.

Wrth gwrs, yr oedd yna bynciau eraill, megis Hanes Addysg (eithaf diddorol) a Seicoleg Addysg (na ddeallais i'r un gair ohono, nac, o holi, neb arall chwaith).

Un o'm cydfyfyrwyr yn ystod y blynyddoedd 1944-46 oedd John Glyn Williams, a ddaeth ymhen amser yn hynod enwog fel arweinydd Côr Meibion Orffews y Rhos, cerddor a fu sawl tro yn arwain cyngherddau'r Mil o Leisiau yn Neuadd Albert. Pan oedd o yn y Normal yr oedd yn dipyn o hypochondriac – tuedd ynddo i deimlo'i fod ar fin mynd yn sâl. Byddai'r hogiau yn bwydo'r duedd hon drwy ddweud wrtho nad oedd yn edrych yn dda, un arall yn dweud wrtho'i fod yn welw ei wedd – a chyn pen dim byddai John Glyn yn trafod hefo'r nyrs ac yn eithaf siŵr ei fod ar fin marw.

Cefais i'r pleser a'r fraint o fod yn Bianydd y Coleg. Yn y swydd honno y fi oedd yn cyfeilio yn y gwasanaethau bob bore a hwyr. 'Roedd John Glyn yn awyddus iawn i gael cyfeilio yn un o'r gwasanaethau. A dyma gytuno. Dewiswyd fel emyn y gytgan fawr o waith Beethoven, "Emyn y Greadigaeth." Os ydych yn gyfarwydd â'r gytgan fe wyddoch fod barrau cadarn i agor ac yna adran ganol sydd ychydig yn wahanol: yma y mae'r cyfeiliant yn canu wyth cord ac yna y mae'r lleisiau'n ymuno. Beth wnaethom ni oedd trefnu i beidio ag ymuno – a gadael i John Glyn wynebu'r broblem. Daeth yr awr fawr, eisteddodd John wrth yr offeryn, agor mewn steil, a'r hogiau os rhywbeth yn canu gyda mwy o afiaith nag arfer. Dyna ni wedyn yn cyrraedd yr adran ganol: John yn canu'r wyth cord gydag arddeliad ... ond, wrth gwrs, 'wnaeth neb ymuno. Ymlaen â John, gan ailadrodd y cordiau dro ar ôl tro, nes iddo'r diwedd droi atom a gweiddi'r frawddeg fythgofiadwy, "Dowch o'na, uffern."

Fe basiodd y ddwy flynedd fel y gwynt, yn arbennig yr ail flwyddyn. Cawsom ddysgu yn rhai o ysgolion yr ardal – y fi ym Mhorthaethwy a Llandudno – mwynhau'r profiad i'r eithaf, a sylweddoli bod y flwyddyn fel myfyriwr ar brawf yn Ysgol Gynradd Dyserth o fantais fawr i mi. Gan i mi gael y profiad o sefyll o flaen dosbarth o'r blaen, pan gawsom ein tywys i un o ysgolion yr ardal am y tro cyntaf, fi a ddewiswyd i roi'r wers gyntaf. A hynny i ddosbarth y flwyddyn gyntaf yn Ysgol Uwchradd Bangor (un o'r ysgolion hynny y rhoddwyd iddi yr enw hollol dwp, Ysgol Eilradd). Gan mai cerddoriaeth oedd y pwnc, mi wnes yn o lew – wel, yn ddigon da i beidio gorfod mynd drwy'r union felin honno eto yn ystod fy arhosiad ym Mangor.

Un o uchafbwyntiau'n penwythnosau ym Mangor oedd mynd i'r capel ar nos Sul, fel arfer i Gapel Twrgwyn ym

Mangor Uchaf. Ugeiniau ohonom o'r Normal ac o'r Brifysgol yn cyfarfod wedi'r oedfa ac yn creu ambell Noson Lawen fyrfyfyr. Dyna pryd y ces i'r fraint o gyfarfod â Meredydd Evans, a oedd yn fyfyriwr yn y Brifysgol, a'r Parchedig Huw Jones, a ddaeth ymhen blynyddoedd yn weinidog hynod boblogaidd ar Gapel Tegid y Bala – y ddau fel ei gilydd yn gonglfeini gwerthfawr o'r Noson Lawen Radio a fu mor allweddol i ddatblygiad adloniant ysgafn yng Nghymru. Fel y gwyddoch, daeth Meredydd Evans ymhen amser yn brif gynhyrchydd adloniant BBC Cymru.

Os ewch chi i stwidio'r BBC ym Mryn Meirion ym Mangor Uchaf fe welwch ar y wal yn y fynedfa blâc yn cofnodi'r ffaith fod Adran Adloniant Ysgafn y BBC wedi symud o Lundain i Fangor yn y flwyddyn 1943 ac wedi aros yno tan 1945. Daeth holl gast *ITMA, It's That Man Again*, i Fangor, ynghyd â'r seren enfawr y pryd hynny, Tommy Handley. I Fangor y daeth yr organydd poblogaidd Sandy Macpherson, ac i Fangor hefyd y daeth band dawns Billy Ternant, band a oedd yn cynnwys y trympedwr disglair Eddie Calvert, a ddaeth yn hynod enwog ei hun ymhen amser hefo'i recordiad poblogaidd o *O Mein Papa*.

O Theatr y Grand Llandudno y darlledid *The Happidrome*. Ydych chi'n cofio, tybed? – *Ramsbotham and Enoch and me, We three, The Happidrome*. Ac ym Mhorthaethwy ar brynhawn Mercher, wrth gerdded yn ôl i'r ysgol i ddysgu gwersi'r prynhawn, y clywais i seiniau radio yn un o'r tai yn cyhoeddi bod y rhyfel yn Ewrop ar ben. Dim ond Siapan rŵan, a bydd y cyfan drosodd.

Gan fy mod erbyn hyn yn ddigon hen i wneud gwasanaeth milwrol ces lythyr awdurdodol ei ddiwyg – gwŷs i'r gad yn wir – yn fy hysbysu fy mod i ymuno ag un o'r lluoedd arfog. Ond gan fod y rhyfel fwy neu lai wedi ei ennill, rhoddwyd caniatad i mi orffen fy nyddiau yn y Coleg a disgwyl eto am yr alwad a fyddai'n sicr o gyrraedd ymhen amser.

Yn ystod gwyliau haf 1946, a minnau wedi gorffen fy ngyrfa yn y Coleg, treuliais wythnos yn y Rhyl gyda nifer fawr o ieuenctid Sir y Fflint mewn cynhadledd a enwyd yn *Youth Rallies*, cyfle i bobl ifainc y sir ddod i adnabod ei gilydd a chydweithio mewn sawl modd. Pinacl y gynhadledd oedd cyngerdd ar y nos Sadwrn olaf, a gofynnwyd i mi gyfrannu iddo. Beth wnes i oedd dewis trefniant gwirion o'r alaw "Sosban Fach," a minnau yn fy niniweidrwydd yn credu fy mod wedi llunio rhywbeth o ddiddordeb. Dyma gyflwyno'r datganiad, a derbyn cymeradwyaeth nad oeddwn i'n credu fy mod yn ei haeddu.

Pwy ddaeth ataf i y bore wedyn amser brecwast ond y Cyfarwyddwr Addysg, y diweddar Ddr B. Haydn Williams ei hun. Gofynnodd i mi, "Beth wyt ti'n ei wneud amser cinio?" "Dim byd," atebais. "Wel," medda fo, "tyrd i'r neuadd am hanner dydd." Pan es i i'r neuadd yr oedd yno ryw ddwsin o bobl, rhai y gwyddwn eu bod yn Arolygwyr Ysgolion, ond hefyd bobl hollol ddieithr i mi.

"Reit," meddai Dr Haydn, "chwaraea be chwareiast ti neithiwr." A dyma chwarae'r "Sosban Fach" gyda'm holl egni. Wedi i mi orffen gofynnodd Dr Haydn i'r gweddill, *"Well, what do you think, gentlemen?" "Most certainly,"* meddai un, *"Absolutely,"* meddai un arall. 'Roedd sŵn cyd-weld o bob cwr. "Reit," meddai Dr Haydn eto, "'rydyn ni'n fodlon cynnig ysgoloriaeth lawn i ti fynd i'r Brifysgol yn Aberystwyth am dair blynedd er mwyn i ti astudio tuag at radd ddosbarth cyntaf mewn cerddoriaeth."

Adref â fi, a 'nhraed prin yn cyffwrdd â'r llawr, a throsglwyddo'r newyddion i'm rhieni. Ar ôl gwrando, dyma fy Nhad yn dweud, "Cofia, byddi di yn y coleg 'ma am dair blynedd, a wedyn bydd yn rhaid i ti wneud dy *National Service* – dyna i ti bum mlynedd heb ennill fawr." Rhoddodd yn fy mhen i ryw *os* fel mynydd, a gwrthodais y cynnig, gan anghofio am ddyfodol hefo gradd. Ond, dyna fo, petaswn i wedi'i dderbyn, 'fuaswn i ddim wedi mynd i Ffynnongroyw i ddysgu, 'fuaswn i ddim wedi cyfarfod â Gwen, 'fuasai 'na ddim Caryl na Dafydd, nac Elan na Miriam na Moc na Greta na Jos na Cai. Gwnaeth fy Nhad gymwynas fawr â mi wrth ddatgan ei bryder.

Do, daeth dyddiau coleg i ben. Mor sydyn y treiglodd y ddwy flynedd! Adref wedyn – i Gaerwys, wrth gwrs – nid i Drelawnyd – i ddisgwyl am y canlyniadau holl bwysig. Ac fe ddaethon nhw'n reit sydyn. Y pryd hwnnw yr oedd pob myfyriwr yn derbyn y rhestr gyflawn, ac felly gwelid ar unwaith pwy fu'n llwyddiannus a phwy a syrthiodd yn ymyl y lan. Y rhyfeddod oedd fod rhai o'r hogiau mwyaf blaenllaw ym mywyd cymdeithasol y Normal wedi methu, ac eraill, fel fi, wedi llwyddo. Ac felly y daeth i ben gyfnod rhyfeddol o hapus yn fy mywyd – dyddiau o baratoad at y dyfodol.

Dim ond ar ôl imi weld sut fyd oedd y byd addysg go iawn y sylweddolais mai prin oedd y paratoad a gafwyd i wynebu gyrfa ynddo. I ffwrdd â mi i'r Swyddfa Addysg yn yr Wyddgrug a gofyn am gyfweliad gyda'r Cyfarwyddwr Addysg, y Dr Haydn Williams y soniais amdano eisoes, Haydn Fellten i bobl y Rhos, ond Dr Haydn i'r gweddill ohonom. 'Roedd o'n ŵr â'i fys yn gadarn ar byls y genedl, gŵr a ddaeth yn un o gymwynaswyr mwyaf effeithiol yr iaith Gymraeg.

A dyma fi yn bedair-ar-bymtheg oed gyda thystysgrif athro yn fy mhoced, yn cael fy anfon i ysgol uwchradd ym mhentref Shotton yn Sir y Fflint, *The Deeside Secondary Modern School*, lle bu'r rhyfeddol Mary Vaughan Jones yn teyrnasu – cerddor gwych a oedd y flwyddyn honno wedi cynhyrchu perfformiad disglair o gampwaith Benjamin Britten, *A Ceremony of Carols*. Wedi marwolaeth drasig a chynamserol Mary, y fi druan a gafodd y dasg o'i holynu.

Yno yr es i un bore Llun, aros gyda Mrs Jones Mold Road tan fore Gwener, ac yna adref am benwythnos, gan obeithio na fyddai'r bore dydd Llun nesaf yn gwawrio, oherwydd erbyn hyn yr oeddwn wedi dirnad ffaith seml: beth bynnag a ddysgid yn y Coleg, yr oedd un peth ar goll, sef *sut* i ddysgu.

Yna, ar ôl chwe wythnos o weithredu fel athro di-glem yn y *Deeside Secondary Modern School*, fe ddaeth yr alwad, a hynny mewn amlen frown ag arni'r llythrennau pwysig OHMS, *On His Majesty's Service*. Gorchymyn y Brenin oedd imi fynd i'r barics yn Wrecsam i gael archwiliad meddygol. Chwim ar y naw oedd hwnnw, ac o fewn dim dywedodd rhyw ddoctor fy mod yn *A1*, yn hollol iach ac addas i ymuno â Byddin Ei Fawrhydi. Gan fod y rhyfel drosodd 'doedd gen i ddim gwrthwynebiad, ac ar fore Llun arbennig dyma symud o Gaerwys at ddyfodol hollol newydd.

Y Fyddin

Mynd i Wrecsam yn gyntaf. Ymhen dim ar ôl inni ymgynnull yno daeth yr alwad i drafaelio i orsaf rheilffordd Caer ac oddi yno i Carlisle. Yno mewn ystafell enfawr yr oedd yn rhaid i ni sefyll mewn rhes ryfeddol o hir i dderbyn dillad milwr, tiwnic, trowsus, a phopeth arall a oedd i fod yn rhan o'n meddiant o hynny ymlaen. Yn ystod y seremoni ddilladog hon gwelais ryw bump o hogiau a oedd wedi treulio dwy flynedd gyda mi yn y Coleg Normal, ond o fewn dim yr oedden nhw wedi diflannu, ac ni welais mohonyn nhw byth wedyn.

O Carlisle trên i dref Stranraer yn yr Alban, ac yno dros y môr, y culfor yn wir, i dref Larne yng Ngogledd Iwerddon. Oddi yno mewn lorïau drwy'r fagddu o nos a glanio mewn gwersyll a ymddangosai i ni yn hollol anghysbell. Y gorchwyl cyntaf oedd mynd gyda chas matres gwag i gwt enfawr a oedd yn llawn o wellt, a llenwi'r cas er mwyn creu rhyw fath o wely. Cario hwnnw wedyn at y swyddogion a oedd yn gweiddi arnom, a chael ein harwain ganddyn nhw i'r cytiau a fyddai'n gartref i ni am rai wythnosau, y *Nissan huts*.

Y bore wedyn, dyma ddeall ein bod mewn gwersyll i filwyr yn nhref Omagh i dreulio cyfnod o baratoad ar gyfer ein dwy flynedd yn y fyddin. Prin y gwyddwn pa fath fywyd a gawn yno. Am chwech o'r gloch y bore yr oedd sŵn annaearol yn y cwt, a boi hefo dwy streipen ar ei fraich yn ein rhegi ac yn gorchymyn i ni godi ac ymolchi a bod yn barod ymhen hanner awr neu buasai'n bywydau ni'n gwbl ddi-werth.

Ar ôl brecwast cawsom wybod ein bod yn aelodau dros-dro o'r *Royal Inniskillin Fusiliers*, milwyr a chanddynt yr enw o fod y milwyr cyflymaf am orymdeithio yn yr holl fyddin, cant ac ugain o gamau'r funud. Corporal Boyle oedd yn gyfrifol amdanom, a 'dw i'n reit siŵr ei fod wrth edrych arnom yn teimlo bod y fyddin wedi chwarae tric digon cas arno. Y fo gafodd y dasg – neu'r fraint – o'n gweddnewid ni, o fod yn hogiau dibrofiad i fod yn filwyr, a hynny o fewn cwta chwe wythnos. A thrwy amynedd a cholli tymer a rhegi a hiwmor, gwnaeth hynny. 'Roedd gen i barch mawr at y Corporal, a oedd yn amlwg yn ddyn di-ddysg, oherwydd cafodd drefn ar fechgyn yr oedd eu cyraeddiadau meddyliol yn llawer uwch na'i gyraedd-iadau ef. Corporal Boyle a ddysgodd i mi sut i wneud fy ngwely'n daclus, sut i smwddio fy nhiwnic a'm trowsus, sut i stwffio *bayonet* i fewn i sach o wair, sut i fartsio, a sut i gyd-fyw gyda chriw o hogiau nad oeddwn erioed wedi'u gweld o'r blaen.

Yn ystod fy arhosiad yng Ngogledd Iwerddon digwydd-odd rhywbeth rhyfeddol i mi. Ar y parêd un bore dyma'r swyddog yn gweiddi, *"How many of you play the piano?"* Cododd rhyw bump ohonom ein dwylo. *"Fine,"* medda fo, *"you can carry the piano from the Band Room to the Gym for tonight's dance."* A dyna wneud. Ar ein ffordd tua'r neuadd gofynnodd y corporal a oedd unrhyw un ohonom mewn gwirionedd yn gyfforddus o flaen yr allweddellau. Fel y digwyddodd hi, fi oedd yr unig un, a gofynnwyd i mi brofi fy ngallu. Meddai'r swyddog, *"Well done, Taff. You must see the bandmaster. I know he's looking for a pianist for the Dance Band."*

Cefais fy nhywys at y dyn ei hun. *"Do you read music?"* gofynnodd. *"Yes, sir."* *"Read that,"* medda fo, gan osod ar y piano y gerddoriaeth i'r trawsysgrifiad i fand dawns o'r gân hyfryd *Song of India*. 'Waeth i mi gyfaddef, yr oedd yn chwerthinllyd o syml i mi, ac ar ôl i mi fy mhrofi fy hun dyma'r bandfeistr yn cynnig swydd imi gyda'r band. Y cynllun oedd y bydden nhw yn fy nysgu i chwarae'r clarinet er mwyn i mi gael chwarae gyda'r band militaraidd yn ystod y dydd, ac yna gyda'r hwyr cawn ganu'r piano gyda'r band dawns.

Yr unig bryder i mi oedd fy mod wedi llofnodi cais i fod yn aelod o'r RAOC, y *Royal Army Ordnance Corps*. Pam? – peidiwch â gofyn. A dyma fi'n dweud hynny wrth y bandfeistr. *"It's in the lap of the Gods,"* medda fo. A 'doedd gen i ddim clem beth oedd o'n ei feddwl. *"Whichever post comes first, accept it. But try to get yourself involved in dance band work – you'll find it invaluable experience. If you join us, you'll enjoy a Mediterranean cruise, playing with the military band during the day and then playing with the dance band in the evening."*

Fore drannoeth cefais y neges fy mod i'n ymuno â'r RAOC fel rhyw gyw swyddog. Meddyliwch mewn difrif – *Second Lieutenant Jones, R!* Y cyfnod gyda'r RAOC oedd y mwyaf diflas a brofais i erioed. 'Roedd mor ddiflas fel yr es at y prif swyddog i grefu am gael fy rhyddhau o gwrs a oedd i mi yn hollol ddibwrpas. Pan edrychodd un o'r swyddogion ar fy mhapurau sylwodd fod gennyf dyst-ysgrif athro, a mynegodd ei farn y dylwn ymaelodi â'r RAEC, y *Royal Army Educational Corps.*

O fewn dim yr oeddwn yn rhingyll, mewn swydd hawdd, yn derbyn cyflog a oedd deirgwaith y swm a gawn gynt, ac mewn gwersyll ger Swindon yn dilyn cwrs tri mis o baratoad a oedd yn fêl llwyr i mi. Cymysgwn gydag athrawon eraill, a chawn sylw swyddogion a oedd yn ein trin gyda pharch a charedigrwydd. 1947 oedd hi, tua mis Medi. Dyna'r adeg pan ddarllenais mewn papur newydd am ddamwain ar Fôr y Canoldir pan darawodd dwy long yn erbyn ei gilydd. Pan ddarllenais y frawddeg *Among lives lost were members of the Royal Inniskillin Regimental Band* rhewodd fy nghalon. On'd 'doedd hi'n wyrthiol fod fy mhapurau i'r RAOC wedi cyrraedd cyn i mi ymaelodi â'r band?

'Roedd y tri mis yn Swindon yn bleser llwyr. Yna daeth yr alwad imi fynd i Gaer, i wersyll y Dale ar ffordd Penbedw, i ymuno â staff y PEC, y *Preliminary Educational Centre*, ysgol i hogiau ifainc a ddaethai i'r fyddin yn anllythrennog. Ein tasg oedd, o fewn chwe wythnos, ceisio codi'r hogiau hyn o bwll anwybodaeth drwy roi iddynt radd o lythrennedd. I'r chwech ohonom ar y staff yr oedd y dyletswyddau'n debyg iawn i ddyletswyddau athro ysgol gynradd, dysgu mathemateg syml iawn, a'u cael, fel y dywedais, i ddysgu darllen. Mewn prawf sillafu, lle'r oedd y gair cyntaf yn dechrau gydag *a*, fe synnech faint ohonyn nhw oedd yn methu.

Un o'r tasgau wythnosol oedd ysgrifennu llythyrau ar ran yr hogiau at eu rhieni a'u cariadon, gorchwyl hyfryd ac eto gorchwyl trist. Hefyd, yr oeddem yn trefnu ymweliadau â gwahanol lefydd i ehangu eu diddordeb yn y pethau o'u cwmpas. Aethom o gwmpas waliau trwchus Caer, y fi a'm ffrind Fred Yates yn eu harwain, a Fred yn dweud yn hollol ddifrifol, *"These are the walls visited by King Charles, a very jolly king, known of course as Cheerful King Charles of Chester"* – cyfeiriad at un o ddigrifwyr enwocaf y cyfnod, *Cheerful* Charlie Chester. Aethom hefyd i fragdy'r *Chester Northgate Ales*, ymweliad a ddaeth i ben gyda'r hogiau'n cael peint o gwrw'r un, a achosodd broblem fawr i ni wrth geisio'u martsio'n ôl i'r gwersyll.

Yr ymweliad sy'n aros gliriaf hefo mi hyd heddiw yw'r ymweliad â'r neuadd gyngerdd fawr yn Hope Street, Lerpwl, y neuadd ffilharmonig enwog, a oedd yn adeilad newydd y pryd hwnnw, yn addurn pensaernïol a diwyl-liannol. Ar ôl sgwrsio gyda swyddog o'r neuadd, cawsom ganiatad i wrando ar rihyrsal gan Gerddorfa Ffilhar-monig Lerpwl yn perfformio o dan faton neb llai na'r byd-enwog Syr Malcolm Sargent – y fi ac ugain o hogiau na welsant neuadd gyngerdd erioed heb sôn am neuadd gyngerdd â cherddorfa ffilharmonig wych ynddi hi.

Ar ôl cyrraedd cawsom ein tywys yn foneddigaidd iawn i'r galeri. Wrth inni ddringo'r grisiau beth ddaeth i'n clyw ond seiniau yr egwyl *Mars, Bringer of War*, o gyfres "Y Planedau" gan Gustav Holst. Fel y gwyddoch chi, efallai, y mae'r gerddoriaeth yma'n arbennig o gyffrous, a'i rhythmau'n cyffwrdd pob calon. 'Roedd yr hogiau wedi eu mesmereiddio. Ac wedi'r diweddglo ffrwydrol yr oedd pob un ohonyn nhw'n hollol ddistaw, fel petaen nhw wedi cael eu llorio'n llwyr gan ryfeddod y gerddoriaeth.

Cyn mynd i mewn i'r awditoriwm, eglurais i un o'r swyddogion pam yr oeddem ni yno, a gofynnais tybed a oedd yna obaith y byddai'r dyn mawr, Syr Malcolm ei hun, yn fodlon dod i sgwrsio â'r hogiau. Ac fe ddaeth – a sgwrsio â nhw am ryw chwarter awr, gan eu holi'n dwll, a chan ddatgan y gobeithiai y byddent o hynny ymlaen yn gwrando ar gerddoriaeth glasurol. Anghofia i byth y ffaith fod un o arweinyddion pwysica'r byd wedi rhoi o'i amser i sgwrsio â rhyw ugain o hogiau anllythrennog – a chreu rhywbeth yn eu calonnau.

Yn y gwersyll yr oedd cryn dipyn o dyndra rhyngom, rhyngom ni y llanciau ifainc iawn a oedd yn gwisgo tair streipen ar ôl ychydig fisoedd yn y fyddin, a'r dynion a oedd wedi ymuno â hi am gyfnodau hir ac na chaent y streipiau am flynyddoedd. 'Dw i'n cofio un amser cinio yn y *Sergeants' Mess* cyfarfod â'r swyddog a fu'n gwasanaethu hiraf yn y fyddin. *"Sergeant,"* medda fo. *"Yes, sir,"* meddaf i. *"You're a musician, aren't you?" "Yes, sir." "Tell me,"* medda fo, *"Do you know 'The Barber of Seville' by Rossini?" "Yes, I do, sir,"* meddwn i yn hollol ddiniwed. *"If that's so,"* medda fo, *"Get your bloody hair cut."*

Tua'r un adeg mi ges i drafferth gyda 'nhraed. Bu'n rhaid i mi gerdded i'r ysbyty nesaf at y gwersyll, a chael triniaeth electronig a wellodd y drwg, ac yn bwysicach fyth a roddodd i mi'r hawl i beidio â gwisgo esgidiau. Y fi oedd Jones-*Excused Boots*!

Wrth gerdded at ein rhan ni o'r gwersyll un diwrnod clywais seiniau cerddorol a ddenodd fy sylw, a chanfod fy mod yng nghwmni tua deg-ar-hugain o offerynwyr proffesiynol, Band Militaraidd y *Queen's Bays*, rhan bwysig o fywyd cerddorol y gwersyll. Gan i mi oedi i wrando arnynt daeth un o'r cerddorion ataf a gofyn pa ddiddordeb oedd gennyf. Dywedais innau fy mod yn gerddor ac imi fod yn bianydd yn y gwersyll y bûm ynddo cynt. Dyma fo'n fy nhywys at y bandfeistr, cefais brawf darllen sydyn, a gwahoddiad i ymuno â band go iawn, y *Queen's Bays Dance Orchestra*, a oedd yn cynnwys tuag un-ar-bymtheg o gerddorion, pob un ohonyn nhw'n filwr arhosiad-hir. 'Roedd y gerddorfa ddawns yn perfformio rhyw bedair neu bump o nosweithiau bob mis, ac o dderbyn deg swllt ar hugain am bob ymddangosiad yr oeddwn i'n derbyn mwy o arian gan y band nag fel athro yn y PEC, er fy mod yn rhingyll!

'Roedd bod yn bianydd hefo'r gerddorfa ddawns arbennig yma yn un o brofiadau mawr fy mywyd yn y pedwardegau, ac er mai milwr dros-dro oeddwn i, cefais groeso rhyfeddol o ddiffuant gan y cerddorion proffes-iynol a oedd yn aelodau o'r *Queen's Bays Dance Orchestra*.

Ym mis Medi daeth y newyddion fy mod yn cael fy rhyddhau o'r fyddin, ond y cawn, cyn mynd adref, bythefnos o gwrs ar unrhyw bwnc a apeliai ataf. Gwelais fod cwrs pythefnos ar gerddoriaeth yng nghartref yr enwog Josiah Wedgwood, ac yno yr es i, a mwynhau i'r eithaf y cwmni a'r wybodaeth am gerddoriaeth a oedd yn estron i mi, ac a'm sbardunodd i chwilio am rywbeth tebyg wedi dyddiau'r fyddin.

Ffynnongroyw

Ar ôl pedair blynedd, dwy yn y coleg a dwy yn y fyddin, yn ôl â mi i Gaerwys, i gartref fy Nhad a'm Mam, a disgwyl am waith unwaith eto. Es i i'r Swyddfa Addysg yn yr Wyddgrug a gofyn am gyfweliad gyda'm harwr, y Dr Haydn Williams. "Braf dy weld di unwaith yn rhagor," ebe Dr Haydn. "Sut wyt ti'n ffansïo mynd i bentref Ffynnongroyw? Mae angen athro yno a chanddo gymwysterau cerddorol."

Ac ym mis Medi 1948 dyma gael fy swydd gyntaf fel athro cynorthwyol yn Ysgol Gynradd Ffynnongroyw. Ond yr oedd trafaelio o Gaerwys i Ffynnongroyw yn dipyn o broblem. Fel yr hed y frân siwrne o ryw ugain munud oedd hi, ond heb gar siwrne awr a hanner. Drwy drugaredd yr oedd un o drigolion Caerwys yn gweithio fel mecanic ym Mhrestatyn, a chefais gyfle i drafaelio hefo fo, cychwyn bob bore am hanner awr wedi saith. O Brestatyn cymryd bws i Ffynnongroyw, bws a oedd yn cyrraedd y pentref am ddeng munud i naw. Ddiwedd y prynhawn, y tu allan i dafarn y *Farmer's Arms*, dal y bws deng munud wedi pedwar i Dreffynnon, a bws arall oddi yno i Gaerwys, taith o ryw dri chwarter awr ar derfyn dydd.

Bob prynhawn am ddeng munud wedi pedwar, wrth i mi ddisgwyl cael dringo ar y bws, fe ddeuai oddi ar y bws y ferch hardd 'ma, ei llygaid yn loyw a'i gwallt fel y frân, a ddenai fy sylw'n llwyr, ac o fewn dim fy nghariad i gyd. Ym Medi 1948 y cefais i fy nghyfareddu gan Gwen – a dyma fi, drigain a thair o flynyddoedd yn ddiweddarach, o dan ei chyfaredd o hyd.

'Roedd bod yn athro yn Ffynnongroyw yn ôl yn y pedwardegau yn fraint aruthrol, er nad oeddwn i'n sylweddoli hynny ar y pryd. 'Roedd Ffynnongroyw fel ynys o ddiwylliant, ac arni gôr meibion, côr cymysg, côr plant, band y Parlwr Du, cwmni drama, pump o gapeli ac un eglwys – capel y Presbyteriaid (Moreia), capel y Methodistiaid (Bethania), capel yr Annibynwyr (Siloah), a chapel y Bedyddwyr. Ychwanegwch y capel Saesneg (St Andrew's) a'r Eglwys yng Nghymru a gwelwch fod bywyd crefyddol ac ysbrydol Ffynnongroyw yn eitha diogel. Nid felly heddiw yn anffodus. Y mae Bethania'n ffatri deganau, y mae Moreia'n wag, fel y mae Siloah. Yn wir, erbyn hyn dim ond yr eglwys sydd ar agor, ac y mae pethau yno'n ddigon bregus. Ers talwm yr oedd Ffynnongroyw yn llawn dop o weithgarwch diwylliannol. Heddiw, unig uchafbwynt yr wythnos yw'r sesiwn bingo ar nos Wener.

Bob dydd yr oeddwn yn tywys plant yr ysgol ar hyd y pentref i ysgoldy capel Moreia lle'r oeddent yn bwyta'u cinio beunyddiol. Wedi'r pryd bwyd yr oedd y siwrne'n ôl yn cymryd hydoedd am fod yn rhaid oedi i siarad â'r trigolion a oedd wrth eu drysau yn barod – ac yn awyddus, yn wir – i gael sgwrs. Heddiw, 'dw i'n nabod neb. Trist ofnadwy.

Yn ystod y cyfnod hwn deuthum i nabod yn well nifer

dda o bobl Ffynnongroyw a oedd tua'r un oed â mi, aelodau'r Cwmni Noson Lawen a Pharti'r Ffynnon. 'Roedd angen pianydd arnyn nhw, ynghyd â chyflwynydd, a chefais wahoddiad i ymuno â nhw, gwahoddiad a dderbyniais yn llawen. Yr adeg yma digon gwael oedd fy Nghymraeg i – wedi'r cyfan y Saesneg oedd prif iaith fy mywyd ers dyddiau coleg, a digon gwael, 'waeth i mi gyfaddef, oedd fy nawn gyhoeddus yn y Gymraeg. Beth bynnag, o reidrwydd mi bydrais arni, ac o dipyn i beth fe wellodd pethau, a daeth fy nawn gyhoeddus yn fantais fawr i mi maes o law.

Trafaeliodd y Cwmni Noson Lawen ymhell bell dros gyfnod o ryw bedair blynedd, profiad ardderchog i bawb a gafodd y fraint o fod yn aelod ohono. Erbyn hyn, Gwen a mi yw'r unig rai sydd ar ôl, ac i ni y mae'r atgofion yn parhau. Ac y mae gen i ddyled bersonol fawr iawn i'r parti am roi'r cyfle i mi hogi fy arfau cyhoeddus. Beth yw'r hen ddywediad, dwedwch? *In the country of the blind, the one-eyed man is king.* Ym Mharti'r Ffynnon y fi oedd y *one-eyed king.* Heddiw 'dw i'n ddiolchgar mai felly'r oedd hi.

Dyma'r adeg y sylweddolodd Gwen a minnau fod mwy na chyfeillgarwch yn ein clymu. Datblygodd y cyfeillgarwch yn gariad angerddol, a dyma benderfynu ein bod ni'n taer ddymuno priodi. 'Rŵan 'te, yr oedd Gwen wedi addo i'w mam, Priscilla, neu Cill i mi o'r cychwyn, y byddai hi'n gweithio am bum mlynedd ar ôl gadael coleg cyn priodi. 'Roedd Cil wedi colli ei gŵr i'r clefyd creulon *pneumoconiosis*, clefyd y coliars, yn ddyn ifanc saith-a-deugain oed yn 1947. 'Chefais i erioed y fraint o gyfarfod ag ef, ond gair pawb yn yr ardal oedd fod Gwilym Parry yn ŵr arbennig iawn. Meddyliwch, yn ôl yn y tridegau yr oedd y coliars yn cael un wythnos o wyliau'r flwyddyn, a hynny'n ddi-dâl. Ac i ble'r âi Gwilym Parry? I Goleg Harlech, coleg yr ail gyfle, i astudio'r cynganeddion. 'Roedd Gwilym Parry yn addurn i'w bentref, ac y mae Gwen yn gweld ei eisiau hyd heddiw.

Dyma'r adeg hefyd – diwedd y pedwardegau – pan oedd Gwen yn datblygu fel cantores, gyrfa a'i harweiniodd dros y blynyddoedd i ennill yn y Genedlaethol chwech o weithiau. Bob nos Lun trafaeliai i Fae Colwyn i gael gwers ganu gan y cyn-ganwr proffesiynol Powell Edwards, dyn uchel iawn ei barch. Ei chyflog fel athrawes y pryd hwnnw oedd ugain punt y mis: rhoddai ddeuddeg i'w mam, ac yr oedd ganddi hi ei hun ryw wyth bunt. Gwariai ddeg swllt ar fynd ar fws i'r Rhyl ac yna ar drên i Fae Colwyn, talai ddeg swllt arall am y wers ganu, gan adael pedair punt i'w gwario dros y mis. Ond yr oedd arweiniad Powell Edwards yn allweddol i lwyddiant cerddorol Gwen. Yn wir, dylsai fod wedi dringo'n uwch ym myd y gân, ac efallai'n wir fod cyfarfod â'r athro ifanc Rhys Jones wedi difetha'n llwyr ei dyheadau. Na, meddai hi, ond sawl tro wrth fyfyrio 'dw i ddim yn siŵr.

1951, a dyma newid cyfeiriad unwaith eto. Cefais alwad i fynd i weld y Dr Haydn yn ei swyddfa. "Sut fasat ti'n hoffi mynd i ddysgu cerdd yn Ysgol Daniel Owen yr Wyddgrug?" medda fo. Wel, pwy oeddwn i i ddadlau gyda'r Cyfarwyddwr Addysg? A dyma fynd yn un o athrawon ifancaf Ysgol Eilradd Daniel Owen, ysgol uchel iawn ei pharch o dan brifathrawiaeth y diweddar T. Ceiriog Williams, gŵr diwylliedig iawn, a gŵr a wyddai i'r dim sut i drin pobl.

'Roedd gwylio Ceiriog Williams yn trin ei staff a'i ysgol yn brofiad arbennig i mi. 'Roedd Ceiriog yn aelod blaenllaw o Glwb Cerdd yr Wyddgrug. Un bore wrth fynd i'r neuadd gwelais yno'r *grand piano* mwyaf crand a welais erioed. Dywedodd y prifathro fod y piano yno ar gyfer y pianydd disglair addawol Peter Katin, yr oedd ef wedi dwyn perswâd arno i berfformio'r bore hwnnw i'r ysgol i gyd. Felly dyna roi stop ar holl weithgarwch yr ysgol er mwyn i'r holl ddisgyblion gael y wefr o wrando ar bianydd a ddeuai ymhen amser yn un o bianyddion disgleiriaf y wlad. Pwy ond Ceiriog a feddai ar y weledigaeth i farnu bod gwrando ar Peter Katin yn bwysicach nag unrhyw beth arall y bore hwnnw?

Câi'r Cyfarwyddwr Addysg weledigaethau hefyd. Yr adeg hon yr oedd gan y Dr Haydn chwilen yn ei ben ynghylch cael llyfr emynau arbennig ar gyfer holl blant Sir y Fflint. Trefnodd gyda'r prifathro fy mod i'n cael tair wythnos yn rhydd o'm dyletswyddau fel athro i drosi tonau di-rif o'r hen-nodiant i'r sol-ffa.

Rhwng 1951 a 1953 yr oeddem yn brysur iawn yn paratoi at Eiteddfod Genedlaethol y Rhyl, 1953. Yn naturiol, yr oedd Gwen a minnau'n aelodau selog o Gôr yr Eisteddfod, Gwen fel alto a minnau fel cyfeilydd. 'Dw i bron yn siŵr fy mod yn iawn yn dweud mai dyma'r Côr Eisteddfod prysuraf a fu erioed. Perfformiodd yr oratorio *Eleias*, yr *Offeren* enfawr *yn B Leiaf* gan Bach, a hefyd y gosodiad cyffrous gan Verdi o'r Offeren Sanctaidd. I feddwl ein bod wedi cyflawni hyn oll drwy ymarfer bob prynhawn Sadwrn o bump o'r gloch tan hanner awr wedi saith!

'Roedd gwanwyn a haf 1953 yn arbennig o gyffrous, yn bennaf oll am ein bod yn trefnu'n priodas. Y dyddiad y penderfynwyd arno oedd Ebrill y pedwerydd, yng nghapel Bethania wrth gwrs, dan ofal sicr y Parchedig

D. James Evans, gŵr o weledigaeth arbennig iawn, a gŵr a chanddo hiwmor, gŵr a deilwriwyd yn berffaith i'w swydd, ac a ddaeth yn gyfaill mawr iawn i ni.

Mi fyddaf i'n dweud yn aml fod 1953 yn flwyddyn hanesyddol am sawl rheswm. Dyma flwyddyn concro Eferest, dyma flwyddyn coroni'r Frenhines Elisabeth yr Ail, dyma flwyddyn Eisteddfod Genedlaethol y Rhyl, dyma'r flwyddyn y cefais i fy mhenodi – yn bump-ar-hugain oed – yn brifathro cyntaf Ysgol Gynradd Gymraeg Mornant Ffynnongroyw, a dyma'r flwyddyn y cefais y fraint a'r pleser o briodi Gwen. O ran y tywydd, yr oedd Ebrill y pedwerydd yn ddiwrnod rhyfeddol: niwl a chenllysg ar y ffordd i mewn i Fethania, haul crasboeth ar y ffordd allan. Yn festri Bethania y cynhaliwyd y neithior, nifer dda iawn o'n perthnasau a'n cyfeillion yno, a phawb yn awyddus i gyfarch y priodfab a'i briodferch newydd. Un o'r areithiau gorau oedd araith Dewi Evans, ffrind o ddyddiau coleg, a ddaeth ymhen amser yn brifathro Ysgol Gynradd Trelawnyd. Y fo oedd tad yr enwog Sioned Mair, a thad Gruff, a ddaeth mor amlwg fel un o dîm cynhyrchu'r rhaglen deledu *Who Wants to be a Millionaire?*

Dewi a ddywedodd y stori a gafodd y gymeradwyaeth wresocaf yn y neithior. Sôn yr oedd am ddylanwad aruthrol mudiad y Tonic Sol-ffa, mudiad yr oeddem ni wedi bod yn barod iawn i ymuno â'i rengoedd. "Pan oedd fy Nhad," meddai Dewi, "yn cynnal gwersi sol-ffa, a phethau'n mynd tua'r wal, mi fydda fo'n dweud, 'Falla y basa'n well i ni droi'n ôl at y Doh, a dechrau eto'." A dyma Dewi yn cymhwyso hynny ac yn dweud, "Meddyliwch mai heddiw yw'ch Doh arbennig chi. Os bydd pethau weithiau'n mynd tua'r wal, dowch yn ôl at y Doh hwn, a gellwch ddatrys pob problem."

Ym mhriodas chwaer Gwen, yr annwyl ddiweddar Menna, y clywsom yr araith ryfeddaf erioed mewn priodas. Rhyw foi yn codi i siarad – neb yn siŵr pwy oedd o – ond fe wynebodd ei gynulleidfa'n hyderus a dweud, *"I've always thought of Menna as a nurse. One of the most famous nurses of all time was the world-renowned Florence Nightingale, the lady with the lamp. I ask you Menna to think of Norman as your lamp, and I ask you to make sure that he's always well-oiled and that his wick is always trimmed."* A neb yn sylweddoli pam yr oedd y Prifardd Einion Evans a minnau'n chwerthin cymaint!

Mornant

Dywedais yn y bennod ddiwethaf fod 1953 yn flwyddyn o bwys mawr i Gwen a minnau am mai dyna flwyddyn ein priodas. Dyna hefyd flwyddyn fy mhenodi'n brifathro cyntaf Ysgol Mornant Ffynnongroyw.

'Dw i'n meddwl mai hi oedd y bedwaredd ysgol gynradd Gymraeg a sefydlwyd yn Sir y Fflint ym mhumdegau'r ganrif ddiwethaf, yn dilyn Ysgol Dewi Sant y Rhyl, Ysgol Glanrafon yr Wyddgrug ac Ysgol Gwenffrwd Treffynnon. Ac wrth edrych yn ôl dros yr hanner canrif a aeth heibio, rhaid edmygu ffydd, hyder a gobaith y rhieni a oedd mor fodlon i anfon eu plant i ysgolion o dan athrawon a oedd am geisio gwarantu y byddent yn hollol ddwyieithog erbyn eu penblwyddi'n un-ar-ddeg oed. Yn y cyfnod hwnnw, cofiwch, 'doedd yna'r un ysgol uwchradd ddwyieithog yn y sir i barhau â'r addysg Gymraeg a geid yn yr ysgolion cynradd Cymraeg newydd hyn.

'Dw i'n cofio fel ddoe y cyfarfod holl bwysig yn yr Wyddgrug i benodi prifathro newydd Ysgol Mornant – cyfweliad o flaen yr holl gynghorwyr sir, tuag wyth-degpump ohonynt – a'r Cyfarwyddwr Addysg, y Dr Haydn Williams, yn anelu'r cwestiwn olaf: "Sut a phryd y buasech chi'n cyflwyno'r Saesneg fel ail iaith i'ch plant?" Minnau'n dweud, ac yn credu'n gryf yr hyn a ddywedwn, y byddwn yn cyflwyno'r Saesneg iddynt pan fyddai'r plant yn saith oed. *"And,"* meddai'r Dr Haydn, *"what standard of English would you expect them to achieve by the age of eleven?"* Minnau'n meddwl yn sydyn ac yn dweud yn hyderus: *"I would confidently expect them to have achieved a similar, if not higher, standard in English to a monoglot English child of comparable intelligence."* 'Dwn i ddim o ble y daeth yr ateb, ond fe drawodd y Cyfarwyddwr Addysg y ddesg gyda'i ddwrn a gweiddi, *"Yes, yes."* A dyna, y mae'n debyg, yr ateb a enillodd y swydd i mi.

Agorodd Ysgol Mornant gyda dros saith deg o blant, a'u rhieni, wrth gwrs, yn neidio i dywyllwch. 'Wydden nhw ddim beth oedd doniau na chymwysterau'r prifathro ifanc, na dim am ei allu i lywio cwrs addysg eu plant. Ond yr oedd eu hagwedd gadarnhaol yn hwb mawr i mi fachu ati a rhoi iddynt yr addysg Gymraeg orau. 'Roeddwn yn ffodus dros ben yn fy staff. Yr adeg honno yr oedd y prifathro yn athro dosbarth llawn-amser yn ogystal ag yn weinyddwr, ac yr oedd yn dibynnu'n drwm ar onestrwydd a phroffesiynoldeb eu gydweithwyr. Gan fy mod i wedi priodi merch o'r pentref, a ddaeth ymhen amser yn aelod o staff Ysgol Mornant, yr oedd fy siwrne'n weddol ddiogel.

Byddai Arolygwyr ei Mawrhydi yn ymweld â ni'n gyson, ac yn cyrraedd Mornant Avenue heb rybudd o gwbl. Heddiw y mae ysgolion yn cael tua blwyddyn o rybudd, a phan ddaw'r ymwelwyr heibio y maen nhw'n gweld ysgol wahanol iawn i'r ysgol y byddent yn ymweld â hi heb rybudd.

Cefais saith mlynedd hapus iawn yn Ysgol Mornant, gan ddod i 'nabod pob plentyn, ac, yr un mor bwysig, gan ddod i 'nabod eu rhieni hefyd. Yn wir, yr oedd y daith adref bob dydd yn cymryd amser maith, gan gymaint y sgwrsio â rhieni ar y stryd.

Yn 1958 ganed Caryl, gan newid ein bywydau'n llwyr. Erbyn hynny, yr oeddem yn byw mewn hen fwthyn yn y pentref, bwthyn o'r enw Arweinfa, drws nesaf i Wil a Kitty Lloyd, eu mab Eddie, ac ewythr i Kitty, Yncl Elis, a oedd yn hen ŵr tua wyth-deg mlwydd oed. Rhyfedd meddwl fy mod i erbyn hyn yn hŷn nag oedd o yn y chwedegau. 'Doedd Arweinfa ddim ymhell o dŷ mam Gwen, Priscilla Morris. Fel y cyfeiriais eisoes, Cil oedd hi i mi. 'Roedd hi'n fam-yng-nghyfraith ddelfrydol, ac wrth ei bodd yn gwarchod, yn enwedig gan fod Gwen a mi yn brysur iawn hefo eisteddfodau a chyngherddau di-ri.

Yn y cyfnod hwn yr oedd y bwthyn yn atseinio i gerddoriaeth, yn enwedig caneuon eisteddfodol. Byddai nifer fawr o bobl ifainc yn dod yno i ymarfer caneuon y Genedlaethol (ac eisteddfodau eraill), caneuon yr oedd Caryl yn eu clywed drosodd a throsodd, nes iddi ddod yn gyfarwydd â phob un ohonyn nhw. Hyd yn oed heddiw, enwch iddi unrhyw un o ganeuon eisteddfodol poblogaidd y chwedegau, a mi wranta i ei bod yn eu cofio ac yn gallu eu canu.

Yn y cyfnod hwn hefyd yr oedd Gwen a sawl tenor a bariton yn dysgu deuawdau newydd. Heddiw, ychydig iawn o ddeuawdau a glywch chi mewn cyngherddau, ac eithrio efallai "Hywel a Blodwen." Ond y pryd hwnnw yr oedd gan lawer o gantorion stoc dda o ddeuawdau i'w canu. Un noson yng nghanol y chwedegau yr oedd Gwen yn dysgu deuawd newydd sbon gyda'n cyfaill anwylaf, y bariton Gwyn Jones Llanelwy, perchen llais a fuasai heddiw yn ei godi i lwyfannau mawr y byd. Y gân ddigri *The Singing Lesson* oedd hi, ac yr oedd y ddau'n cael hwyl reit dda arni, ac yn gorffen ar nodyn a oedd yn ymylu ar y tra uchel. Wedi iddyn nhw orffen, dyma gnoc ar y drws. Eddie drws nesaf oedd yno. "Mae Yncl Elis yn ei wely," medda fo. "O, sori," meddwn i. "Na," meddai Eddie, "mae popeth yn iawn. Mae Yncl Elis yn ei wely a mae o'n gofyn a wnewch chi ganu honna eto." Cymdogion delfrydol!

'Roedd eglwys Bethania Ffynnongroyw yn cynnal eisteddfod flynyddol y Sadwrn agosaf at Fawrth y cyntaf. Gwilym Parry, tad Gwen, oedd ei hysgrifennydd cyntaf yn ôl yn y tridegau, a minnau, fel y mae'n digwydd, oedd yr ysgrifennydd olaf yn y pumdegau. Dyma'r cyfnod euraid i amaturiaid Cymru. 'Wyddoch chi beth? Un o fy nghas bethau yw'r defnydd o'r ansoddair *proffesiynol* – "Dyna berfformiad hollol broffesiynol," neu "'Roedd ei agwedd yn gwbl broffesiynol." Enw yw *professional* i ddisgrifio rhywun sy'n gweithio yn ei briod faes. 'Dyw'r ansoddair ddim yn ddisgrifiad o wychder perfformiad o gwbl. 'Dw i wedi clywed perfformiadau gan bobl broffesiynol a oedd yn ddifrifol o wael, ac wedi clywed perfformiadau amatur a'm cododd i ymylon ecstasi.

Am flynyddoedd lawer llwyfannau'n heisteddfodau oedd llwyfannau'r amatur yng Nghymru. Ac oherwydd eu llwyddiant ar y llwyfannau hyn y byddai hogiau'r werin a feddai ar leisiau canu arbennig o dda yn dod yn enwog yn eu cylch. O fewn dim byddai'r llwyddiant hwnnw'n arwain at alwadau cyson i gymryd rhan mewn cannoedd o gyngherddau a oedd yn rhan bwysig o batrwm y bywyd diwylliadol yn y chwedegau a'r saithdegau – cyn i'r bocs yn y gornel effeithio'n andwyol ar fywyd y miloedd.

Ond yn ôl at eisteddfod Bethania Ffynnongroyw. Fy ngwaith yno a'm harweiniodd at flynyddoedd lawer yn y maes eisteddfodol, yn gyntaf fel cyfeilydd ac yn ddiweddarach fel beirniad. 'Roedd cael cyfeilio a beirniadu yn fraint aruchel. Fel cyfeilydd yr oeddwn yn cael cyfrannu at werth perfformiadau y rhai a oedd yn canu ac yn dehongli. Yn y gwahanol eisteddfodau, yn aml ni wyddech beth oedd y gân osod. Weithiau, yr oedd hi'n gyfarwydd i chi; ond yn aml yr oedd yn hollol newydd, ac ar adegau fel hynny 'doedd y gwaith ddim yn hawdd.

'Dw i'n cofio beirniadu yn Eisteddfod Ponterwyd. Hithau'n ugain munud i un ar fore Sul, a ninnau wedi cyrraedd cystadleuaeth y ddeuawd a'r annwyl D. T. Lloyd, yr arweinydd, yn ceisio fy nghysuro. Dyma fo'n dweud: "Dyma ni, Mr Jones, 'fyddwn ni ddim yn hir rŵan. Maen nhw'n canu bob yn ddau."

'Roedd gan y chwedlonol Pat O'Brien ddawn arbennig i drin cynulleidfa. 'Dw i'n sôn am y cyfnod pan oedd pawb bron yn smocio, yn smocio i'r fath raddau nes ei bod yn amhosibl gweld cefn y neuadd o'r llwyfan. A Pat O'Brien yn ceisio annog y dynion i beidio ag ysmygu. Meddai: "Neges i chi ddynion yn yr Eidaleg. *Gentemano, do no smoko, or the singers they will choko.*" O fewn dim yr oedd pob ysmygwr wedi rhoi'r gorau iddi, a gellid gweld y pen arall o'r neuadd unwaith eto.

Y Parchedig Huw Jones oedd yr athrylith yn y maes hwn, wrth gwrs. 'Dw i'n cofio cyfeilio yn Eisteddfod Llangwm, a Huw yn arwain yn ei ffordd unigryw.

'Roeddem wedi cyrraedd cystadleuaeth yr her unawd, ac yr oedd Huw, Huw Bach i bawb bron, yn cyflwyno Trebor Evans, Gwanas, sydd, fel y gwyddoch, ymhell dros ei chwe throedfedd. Wrth weld Huw yn sefyll o flaen Trebor, a thop ei ben tuag uchder bogail y bariton, dyma'r gynulleidfa'n torri i chwerthin. A meddai Huw, â'i dafod yn saff yn ei foch, "Well i mi symud i'r ochr, er mwyn i chi gael ei weld o."

Yn Eisteddfod Sir yr Urdd yn Sir y Fflint yn y pumdegau, Llwyd o'r Bryn oedd yn arwain. 'Roedd rhywun wedi perswadio Gwyn Williams – Gwyn Williams y BBC yn ddiweddarach – i ganu deuawd gyda bachgen o Ddyserth. A dweud y gwir, 'doedd hwnnw ddim yn denor da o gwbl, a 'doedd Gwyn ddim cweit cystal. At hynny, y ddeuawd osodedig oedd un o'r deg uchaf o'm cas ddeuawdau i, "Cân yr Utgorn" o waith Purcell. Canwyd – os dyna'r gair – y gân, gan achosi cryn chwerthin ymysg y gynulleidfa. Pan ddaeth y perfformiad i ben trodd Llwyd o'r Bryn ataf i a gofyn, "Pwy sgwennodd honna, Rhys?" "Henry Purcell, Mr Lloyd," meddwn i. "Dwad i mi," medda fo, "ydi o wedi marw?" "Ydi, Mr Lloyd." Ac yn ôl y daeth yr ateb o galon Llwyd o'r Bryn, "Wel, diolch i Dduw am hynny."

Yn Eisteddfodau'r Urdd bellach dim ond y dyfarniadau a geir o'r llwyfan. Y mae'r drefn yma'n amddifadu'r gynulleidfa o'r cyfle i glywed gan y beirniaid eu rhesymau dros ddewis yr enillwyr. Y tro cyntaf y cefais i'r fraint o feirniadu mewn cyfarfod cystadleuol, daeth fy Nhad hefo fi – i wrando ar berlau beirniadol ei fab, 'ddyliwn – ac ar y ffordd adref dyma ofyn iddo sut hwyl a gafodd y mab. "Da iawn," medda fo, "ond cofia, mae'n rhaid i ti lunio dy feirniadaeth yn y fath fodd fel y bydd y gynulleidfa'n deall pwy sy'n haeddu'r wobr gyntaf." Y mae gennyf gof da o Gôr Cymysg Ffynnongroyw yn cystadlu yng Nghyngerdd Prawf Corwen, y *Test Concert*, a'r beirniad T. Hopkin Evans yn traddodi. Pan ddaeth at berfformiad ein côr ni, 'doedd dim taw ar y canmol. Ac wrth orffen, dywedodd: "Diolch i chi, Ffynnongroyw, am ddod yma heno i arddangos canu corawl ar ei orau gwych." 'Roedd gŵr ein harweinydd yn barod wedi gafael ym mag llaw ei wraig er mwyn iddi gael esgyn i'r llwyfan i dderbyn ei gwobr. Ond pan ddaeth y dyfarniad, er gwaetha'r canmol mawr, trydydd oedd Ffynnongroyw. "Blydi ffŵl uffern dân," meddai un o'r cantorion am y beirniad.

Un o eisteddfodau mawr y cyfnod y soniaf amdano oedd Eisteddfod Butlin's, a'r cwmni'n gyfrifol am yr holl gostau, costau a adenillid drosodd a throsodd wrth y bar enfawr a oedd yno, y bar hiraf a welais i erioed. Unwaith pan aeth Côr Ffynnongroyw i gystadlu yno, ein darn prawf oedd y rhangan hyfryd *By Babylon's Wave* gan Charles Gounod. Oherwydd apêl y bar hir, yr oedd rhai ohonom wedi yfed mwy nag y dylsem. Ac yr oedd Gwen yn pryderu a allwn i ddelio â'r dudalen o gyfeiliant yr oedd yn rhaid i mi ei chwarae cyn i'r côr ddechrau canu. Drwy ryw niwl y chwaraeais i. Syndod rhyfeddol felly oedd clywed y beirniad, wrth ddyfarnu'r wobr i Ffynnongroyw, yn datgan bod y dehongliad o'r rhagarweiniad wedi cyfrannu'n aruthrol at werth y perfformiad.

Gan fod gwobrau Eisteddfod Butlin's mor hael, byddai'n denu cantorion o'r De yn ogystal â'r Gogledd. 'Roedd cantorion y De bob amser yn rhyfeddu bod cantorion y Gogledd yn gyfeillion mor agos a'u bod mor deyrngar i'w gilydd. 'Roedd hynny'n wir iawn, yn enwedig yn yr eisteddfodau bach, lle'r oedd pob cystadleuydd yn barod i fynegi barn werthfawrogol am berfformiadau cystadleuwyr eraill – ac, wedi'r dyfarniad, yn barod i ganmol yr enillydd.

O 1948 hyd 1984 yr oeddwn i'n byw dau fywyd, a dweud y gwir – y bywyd addysgol, yn brifathro ac yna yn athro cerdd mewn dwy ysgol arbennig o bwysig i mi, a'r bywyd cyhoeddus fel cyfeilydd, cyflwynydd, arweinydd a beirniad eisteddfodol.

Ar ôl saith mlynedd yn Ysgol Mornant, teimlwn nad yno'r oedd fy nyfodol. 'Roeddwn i eisiau arbenigo, a chyfrannu at y byd addysg drwy fy nawn fel cerddor. Yn 1961 dyma fynd unwaith yn rhagor at fy arwr, y Dr Haydn, a mynegi fy ngobaith iddo. 'Roedd ei gynnig yn wahoddiad na allwn ei wrthod. Ag ail ysgol uwchradd Gymaeg y Sir, Ysgol Maes Garmon, ar fin cael ei hagor, meddai'r Cyfarwyddwr, "A fasa gennyt ddiddordeb mynd fel pennaeth yr Adran Gerdd i'r ysgol newydd?" Fel y gofynnodd rhywun, "A yw'r Pab yn babydd?"

Maes Garmon

Ym mis Gorffennaf 1961 dyma ffarwelio ag Ysgol Mornant a pharatoi at yrfa wahanol iawn yn Ysgol Maes Garmon yr Wyddgrug. Y prifathro oedd Elwyn Evans, a fu cyn hynny yn athro'r Gymraeg yn Ysgol Grove Park Wrecsam. Gan mai fi oedd yr hynaf o'r athrawon yn yr ysgol newydd, cefais fy mhenodi'n ddirprwy-brifathro, swydd a fu'n swydd anodd a dyrys (ond 'awn ni ddim i drafod hynny). Staff fechan o ryw wyth o athrawon oedd gennym, a'r rheini'n gorfod dysgu mwy nag un pwnc, pynciau na wydden nhw ddim llawer amdanynt. Yn ogystal â cherddoriaeth yr oedd yn rhaid i mi ddysgu hanes, ychydig o Saesneg, ac arlunio, er fy mod yn hollol ddi-glem fel arlunydd. 'Roedd trefnu amserlen hefyd yn anodd, ac ar ddydd Iau 'doedd gen i ddim gwersi o gwbl.

Cartref yr ysgol oedd hen adeilad gwag ysgol gynradd Saesneg y dref, Ysgol Bryn Coch, ac yno y buom am flwyddyn yn disgwyl i'r adeiladwyr orffen eu gwaith ar yr adeilad newydd sbon a oedd yn disgwyl amdanom.

Ar y cychwyn rhyw saith-deg o blant oedd ym Maes Garmon, rhai ohonynt wedi dod atom o Ysgol Alun, yr ysgol ramadeg, a'r lleill o Ysgol Daniel Owen, yr ysgol uwchradd. Ysgol gyfun oedd hi, a deuai plant newydd atom heb orfod poeni am arholiad yr 11+. Clywais un rhiant un tro yn dweud petai ei fab yn methu'r arholiad yn un-ar-ddeg y byddai'n ei anfon i Faes Garmon, ond petai'n pasio yr anfonai ef i Ysgol Alun, yr hen ysgol ramadeg. 'Roedd yr hen snobeiddiwch yn dal yn y tir. Yn wir, mewn cyfarfod cyhoeddus cyn i Ysgol Glan Clwyd gael ei hagor clywais un rhiant yn dadlau'n ffyrnig y dylsai'r plant a basiodd yr 11+ wisgo dillad ysgol gwahanol i'r rhai a fethodd. Bu bron i Dr Haydn Williams dagu wrth wrando arno.

Felly, ym mis Medi 1962, i lawr Stryd Conwy yn yr Wyddgrug â ni, i mewn i'r adeilad newydd a oedd yn sglein i gyd. Ac yno y bûm i am saith mlynedd, y rhan helaethaf o'r cyfnod yn hynod hapus. Gan fod yr ysgol mor fach yr oedd ffurfio côr a phartïon a thimau pêl-droed yn broblem. Os gallai'r plant gerdded, wel, yr oedden nhw'n egin athletwyr, ac os gallen nhw siarad yr oedden nhw'n egin gantorion. Mae'n wir dweud y byddai llawer o ddisgyblion cynnar Maes Garmon wedi methu ag ennill eu lle yng nghorau a thimau athletaidd ysgolion mwy. Ac eto, oherwydd y gofyn, cafodd pawb ei siawns, a thrwy hynny y profiad anfesuradwy o gael cynrychioli'r ysgol fel pêl-droediwr, athletwr, canwr neu adroddwr.

'Roedd y prifathro Elwyn Evans yn adnabyddus fel adroddwr a phregethwr. Yn wir, defnyddiai ei ddawn fel pregethwr yn aml, gan roi i'r plant sawl moeswers yn y gwasanaeth boreol. Y drafferth oedd ei fod yn ailadrodd y moeswersi mor aml fel y clywid ocheneidiau distaw wrth iddo'u dweud am y trydydd neu'r pedwerydd tro. Ar gyfer cystadlaethau siarad cyhoeddus byddai'n cyfansoddi araith pob un o'r siaradwyr – yr oedd hyd yn oed yn cynnig sgript i'r heclwyr, ac yn paratoi ateb i dewi pwy bynnag a ddewisid i heclo! Yr oedd sicrhau enw da i'r ysgol o bwys aruthrol i Elwyn Evans. Beth bynnag a ddigwyddai ynddi, anfonai lun a stori i'r papur lleol, ac o ganlyniad yr oedd mwy o luniau plant Ysgol Maes Garmon yn y papur lleol nag o luniau plant unrhyw ysgol arall yn y fro.

Gan mor awyddus oedd o i wella Cymraeg ei ddisgyblion, archebai gopïau lu o'r *Cymro*, a'u gwerthu i'r plant – gan obeithio y byddai eu rhieni yn ei brynu wedyn heb i'r prifathro eu hannog. Ei arferiad oedd mynd i'r dosbarthiadau gyda bwndel o'r papurau o dan ei gesail, a wynebu pob plentyn gyda'r cwestiwn: "Dach chi'n ei gael o?" Un diwrnod atebodd plentyn ef drwy ddweud: "Nac ydw, ond mae Mam yn ei gael o bob wythnos gan y dyn drws nesa."

Wrth gwrs, yr oedd cymhellion Elwyn Evans yn gymhellion yr oedd yn rhaid i ni eu parchu. Wedi'r cyfan, ysgol newydd fechan oedd Maes Garmon, a'i nod anodd oedd troi nifer dda o'i disgyblion yn Gymry teyrngar mewn byr amser. Diolch i'r drefn, yr oedd yn yr ysgol athrawon ifainc a oedd ar dân i sicrhau ei llwyddiant. Ac o fewn blwyddyn yr oedd ei rhediad yn sicr, a phawb yn unfryd ynghylch pwrpas ein llafur. Penodwyd athrawon newydd wedyn, a phob un yn ei dro yn ychwanegu rhywbeth o bwys at ethos yr ysgol. 'Dw i'n meddwl ei bod yn wir i ddweud bod disgwyl ymroddiad mwy gan athrawon yr Ysgolion Cymraeg eu naws. Y mae pob athro yn athro iaith, ond yn yr ysgolion dwyieithog y mae'n rhaid bod yn athro dwy iaith.

'Roedd rhai o'r plant yn cael problemau, yn enwedig y

rhai hynny a anfonid atom o gartrefi hollol Saesneg nad oedd ganddynt ddim cyfle i ymarfer y Gymraeg y tu allan i oriau ysgol. Parai hyn broblemau ynglŷn â threiglo ac ynglŷn ag ynganu. Gwelodd Mrs Roberts yr athrawes goginio ambell beth a achosodd i ni wenu droeon. Tasg y merched un tro oedd pobi cacen ac esbonio'r broses ar bapur. Ysgrifennodd un "Irais fy nhîn" gyda'r hirnod, fel y gwelwch, uwchben yr *i*. Hefyd cawsom ambell athro o'r De yr oedd eu tafodiaith yn peri trafferth i'r disgyblion. 'Dw i'n cofio'n dda un bachgen arbennig, John Wellings, na ddylsai fod ym Maes Garmon (yr oedd delio ag un iaith yn fwy na digon i John), a gâi ei ddrysu'n llwyr gan ei broblemau addysgol, a pharai hyn iddo ymddwyn yn wael iawn yn y dosbarth. Un diwrnod yr oedd ei athrawes, merch hyfryd o'r De, wedi cael llond bol ar ymddygiad John, ac meddai hi o'r diwedd: "John Wellings, ma's!" John druan yn codi mewn tymer ddrwg, ac yn gweiddi: "I'm not going to bloody Mars for anybody."

Yn y cyfnod yma – 1961-1968 – daeth Aled Lloyd Davies atom fel pennaeth yr Adran Ddaearyddiaeth, a buan iawn y daethom i gydweithio ar sawl prosiect (ond mwy am hynny yn nes ymlaen). 'Roedd Aled yn un o'r athrawon gorau a welais i erioed. Cofiwch, yn ystod y cyfnod cynnar hwn yn hanes addysg drwy gyfrwng y Gymraeg, 'doedd dim gwerslyfrau yn ein hiaith. Felly, yr oedd gofyn i'r athrawon gyfieithu o lyfrau Saesneg neu eu cyfaddasu, a thrwy hynny gynhyrchu gwerslyfrau yn y Gymraeg. 'Roedd gan Aled y ddawn ychwanegol i gyflwyno'r gwaith mewn dull hawdd ei dreulio a hawdd ei gofio. Byddai'n cynhyrchu llyfrynnau bach lliwgar ar bob pwnc dan haul, llyfrau a sicrhâi fod y plant yn cofio'u cynnwys.

'Rwy'n cofio cael sgwrs efo Aled rhyw ddiwrnod, a'i holi beth oedd ei argraffiadau cynnar o fywyd yn Ysgol Maes Garmon, ag yntau yn dod i'w ysgol newydd ar ôl treulio tua deng mlynedd yn Ysgol Brynhyfryd yn Rhuthun.

A rydw i'n ei gofio fo'n dweud sut y bu iddo fo gael profiad ysgytwol yn ystod ei wythnos gyntaf mewn ysgol newydd, a hynny, o bob man, yn y gwasanaeth boreol. Dweud yr oedd o fod y plant i gyd yn y Neuadd, a'r prifathro wedi ledio un o emynau Elfed — honno sy'n dechrau efo'r llinell "Arglwydd Iesu, dysg im gerdded". 'Does gen i ddim atgof o gwbl am y peth, nac am y digwyddiad a fu'n gyfrwng syndod i Aled, ond yr hyn a wnaeth argraff arno oedd yr hyn a ddigwyddodd cyn i'r plant ganu'r pennill olaf. 'Roedd y tri pennill cyntaf wedi mynd yn iawn, ond wedi hynny, mae'n rhaid fy mod i — oedd yn cyfeilio ar y piano, wedi rhoi pwt o gyfeiliant i mewn rhwng dau bennill, a dod yn ôl gyda'r arweiniad i'r pennill olaf mewn cyweirnod gwahanol. Yr hyn oedd wedi synnu Aled oedd fod y plant wedi derbyn hyn oll heb gynhyrfu o gwbl, yn union fel pe byddai hyn yn rhyw-beth oedd i fod i ddigwydd, ac wedi ei gynllunio ymlaen llaw. Ond dros y blynyddoedd ar ôl hynny, pan fydd rhywun yn ledio'r emyn hwn o waith Elfed yng Nghapel Bethesda'r Wyddgrug, mae Aled yn cofio am y bore hwnnw, ddeugain mlynedd yn ôl yn Neuadd Ysgol Maes Garmon. A hyd y dydd heddiw, 'does gen i ddim math o syniad pam y bu i mi wneud y fath beth!

  Y disgybl mwyaf disglair a gefais i erioed oedd y cyfansoddwr a'r darlledwr Gareth Glyn. 'Roedd tad Gareth, y bardd a'r darlledwr T. Glynne Davies, wedi symud o Gaerdydd i'r Wyddgrug, ac fe ddaeth Gareth atom yn ei drydedd flwyddyn mewn ysgol uwchradd.

Beth oedd o? – tua phedair-ar-ddeg, 'ddyliwn. Dewisodd gerdd fel un o'i bynciau yn arholiadau'r hen Lefel-O, ac o hynny ymlaen cefais y pleser difesur o ganfod disgybl a oedd yn gallu meddiannu ei bwnc, ac un a oedd yn ychwanegu cymaint at ansawdd fy ngwersi i. Buan y sylweddolais fy mod yn gyfrifol am fachgen o dalent aruthrol, ac yr oedd y fraint o'i arwain drwy'i astud-iaethau yn un o'r profiadau addysgol yr wyf yn eu trysori fwyaf. Nid rhyfedd ei fod wedi ennill y fath lwyddiant yn ei waith.

Ond ar ôl saith mlynedd daeth drosof y dyhead am newid yn fy ngyrfa. Wedi'r cyfan, ar ôl rhyw saith mlynedd y mae athro yn tueddu i redeg allan o'r hyn a alwaf yn 'driciau', a gall y gwaith o ddydd i ddydd fynd yn undonog. 'Fedra i ddim dweud mai felly yr oedd hi, ond gwn fod chwant arnaf am newid a wynebu sialens newydd, gwahanol.

Trafaelio adref yn y car hefo'r diweddar Huw Williams, yr hanesydd cerdd, yr oeddwn – ef ar y pryd yn athro yn Ysgol Uwchradd Treffynnon – a fo blannodd yn fy meddwl y syniad o geisio am swydd pennaeth cerdd yn yr ysgol yr oedd ef yn aelod ohoni. Ymddangosodd yr hysbyseb amdani ymhen wythnos: *Yn eisiau, athro cerdd graddedig i weithio mewn adran y mae angen ei datblygu.* 'Rŵan 'te, gan nad oedd gen i radd brifysgol yr oedd yn rhaid i mi anghofio am y swydd hon a meddwl am rywbeth arall. Gyda syndod, felly, y gwelais ail-hysbyseb amdani: *Yn eisiau, athro cerdd profiadol i weithio mewn adran y mae angen ei datblygu.* I fewn â'r cais, cefais le ar y rhestr fer, ac wedi'r cyfweliad (yn yr ystafell a oedd o fewn dim i fod yn ystafell gerdd i mi) cefais fy ngwahodd i dderbyn y swydd.

Treffynnon

Ar y cyntaf o Ebrill 1968, dyma newid cyfeiriad. Symud o ysgol o dri chant o blant i ysgol o bymtheg cant o blant, symud o ysgol ddwyieithog i ysgol Saesneg, a symud o ysgol o ryw ugain o athrawon i ysgol o dros saith deg o athrawon. Fy mhrifathro newydd oedd J. B. Jarvis, gŵr a fu'n bennaeth Adran Ddaearyddiaeth Ysgol Ramadeg Rhiwabon cyn iddo gael ei benodi yn brifathro Ysgol Uwchradd Treffynnon ac wedi hynny yn brifathro Ysgol Gyfun Treffynnon. Dyma ddyddiau cyffrous y newid mwyaf a fu yn hanes addysg Sir y Fflint, diwedd y rhannu yn un-ar-ddeg mlwydd oed a gwawr y system newydd sbon. I athrawon yr hen ysgol ramadeg yr oedd y newid hwn yn syfrdanol.

'Roedd un dosbarth ar ddeg ym mhob blwyddyn ysgol, a chynhwysai'r tri uchaf ddisgyblion yr hen ysgol ramadeg. 'Doedd gan athrawon yr hen ysgol ramadeg ddim syniad sut i ddygymod â phroblemau addysg y gweddill o'r disgyblion. Yn wir, yr athrawon o'r hen ysgol uwchradd oedd yn dygymod orau â'r system newydd. At hyn, yr oedd drwgdeimlad am fod cyn-brifathro'r ysgol uwchradd gynt wedi cael ei benodi i'r swydd newydd bwysig, ond yr oedd hynny cyn i bawb werthfawrogi bod J. B. Jarvis yn gymeriad cryf, yn ddisgyblwr cadarn, ac yn brifathro teg a oedd yn deall gofynion a disgwyliadau pob un o'r plant.

Un o'r cwestiynau cyntaf a ofynnais i iddo oedd pam newid yr hysbyseb am yr athro cerdd. Yr ateb a gefais oedd: "Beth yw'r iws cael gŵr a chanddo radd yn y dosbarth cyntaf sy'n methu â thrin hyd yn oed Dosbarth 1?" 'Roedd ef ei hun yn bianydd reit dalentog, ac yn fuan iawn dymunai i mi glywed ei ddynwarediad da iawn o arddull Charlie Kunz, pianydd amlwg o'r oes o'r blaen.

Tasg bwysig yn nhymor cyntaf y flwyddyn newydd oedd paratoi cyflwyniad ar gyfer y Nadolig. Gan ei bod yn fuan braidd i gyflwyno gwaith llwyfan, dyma benderfynu cyflwyno noson o garolau a nifer dda o *tableaux*, gyda Matthew Roberts, yr athro Ysgrythur, yn darllen dyfyniadau addas tra oedd y gynulleidfa'n gwerthfawrogi'r lluniau gwych ar y llwyfan. Yn anffodus, difethwyd un olygfa, honno lle mae'r angel Gabriel yn cyflwyno'i neges dyngedfennol i'r Forwyn Fair. Beth ddaeth allan o enau Matthew oedd: *"Hail Mary, thou who art highly flavoured."*

Y prynhawn o flaen y cyflwyniad cyhoeddus yr oedd y côr mawr a oedd gen i, cant a mwy o ddisgyblion, yn canu'r geiriau cyfarwydd *"Away in a manger"* ar drefniant a luniais ar eu cyfer o hen garol o Alpau Awstria. Er nad fy lle i yw dweud hynny, yr oedd y canu'n wefreiddiol, mor wefreiddiol nes i weithwyr y llwyfan eistedd a gwrando a rhyfeddu at sglein y canu.

Cyn i mi longyfarch y côr dyma sylweddoli bod y prifathro yn sefyll y tu ôl i mi. 'Ddywedais i ddim byd, dim ond aros am ei ganmoliaeth. Yr unig beth a ddywedodd J. B. oedd: *"Is the word 'lowing' or 'lowin'?"* A meddwn i: *"The question is simple and needs no answer from me."* Medda fo: *"I thought I distinctly heard one or more of the girls singing 'lowin'."* Erbyn hyn yr oedd Rhys wedi gwylltio'n lân: *"I do think that is a footling criticism of a very lovely performance."* Erbyn hyn hefyd yr oedd yr awyr yn drydanol: 'doedd neb erioed wedi ateb y prifathro'n ôl. Dyma fi'n dweud wrth y côr: *"Let's sing it again, and remember, girls, especially for your head-master, the word is 'lowing'."*

Dyma ganu eilwaith, ac o fewn dim gwelwn fod un neu ddwy o'r merched yn edrych ar y prifathro yn hytrach nag arnaf i. Dyma stopio'r canu, a gweiddi: *"When I conduct the choir you look at me, and nobody else, from the headmaster down to the Queen."* Erbyn hyn yr oedd J. B. wedi troi ar ei sawdl ac wedi cerdded allan o'r neuadd.

Ar ddiwedd y prynhawn hwnnw yr oeddwn yn eistedd yn fy nghar yn disgwyl am gyfeillion yr oeddwn yn eu tywys yn ôl i'w cartrefi. Pwy basiodd ond J. B. Jarvis. Daeth at fy ffenestr agored, a medda fo: *"I think we understand each other, Mr Jones." "I think we do, Mr Jarvis." "By the way,"* medda fo, *"that was truly beautiful singing this afternoon."* Dyna'r oll a fu, ac o hynny ymlaen yr oedd y ddau ohonom yn gyfeillion agos.

Y mae stori hyfryd am J. B. a Wil Williams, cyfaill annwyl i mi a oedd yn un o athrawon Dosbarth 5. Yn y gwasanaeth un bore tra oedd y prifathro'n gweddïo, gwelodd Wil un o'r hogiau yn gwthio'i ben ôl allan ac yn torri gwynt yn fwriadol. 'Rŵan 'te, yr oedd yr hogyn yn gwybod bod Wil wedi ei weld (a'i glywed), a chan hynny 'doedd gan Wil ddim dewis ond mynd ag ef at y prifathro.

"What's the problem?" gofynnodd J. B. Atebodd Wil: *While you were praying this morning this boy deliberately ...*" 'Doedd o ddim yn gwybod sut i orffen y frawddeg, ond brwydrodd ymlaen a dweud: "*... this boy broke wind.*" "*You farted, did you, boy?*" medda J.B. "*And don't look at me like that. 'Fart' is a good old Anglo-Saxon word. Get over that desk. I'm going to punish you with two strokes of the cane.*" A dyna gyflawni'r weithred. Fel yr agosâi'r bachgen at y drws, meddai'r prifathro wrtho: "*When you get home don't forget to tell your mother that I caned you. But don't tell her that I caned you for farting. No, I caned you for farting while I was praying.*" Ac aeth y bachgen allan dan wenu, heb fymryn o ddicter tuag at ei brifathro.

Fel y dywedais gynnau, yr oedd yn ddisgyblwr cadarn. Y tro cyntaf i mi fod ar ddyletswydd yn goruchwylio'r caeau yn ystod yr awr ginio, dyma ofyn i J. B. beth a ddisgwylid gennyf. "Ar ddiwedd y cyfnod," medda fo, "chwytha dy chwiban un waith, yna'r ail waith, ac yna'r drydedd waith." Es allan i gae'r ysgol a oedd yn llawn o fechgyn a merched yn sefyll, yn chwarae, neu'n gorwedd ar y borfa. Dyma fi'n chwythu unwaith. Pawb yn stopio ac yn sefyll. Chwythais yr ail waith, a cherddodd pawb yn ddistaw tua drysau'r ysgol. Gyda'r trydydd chwythiad cerddodd pawb i mewn i'r adeilad yn ddistaw ac yn ddisgybledig. 'Welais i erioed arddangosfa mor huawdl o effeithiolrwydd disgyblaeth J. B. Jarvis.

Gan fy mod yn athro newydd yn yr ysgol penderfynais fy mod am wrando ar bob un disgybl yn canu, yn enwedig disgyblion Blwyddyn 1 a 2. 'Roeddwn yn gwrando arnyn nhw bob yn dri, yn dweud wrth un, "Mi wrandawa i arnat ti eto ymhen chwe mis," ac wrth un arall, "'Rwyt ti yn y côr." Os byddai'r plentyn yn dweud nad oedd am fod yn y côr, dywedwn wrtho, "'Rwyt ti yn y côr tan y bydda i'n derbyn llythyr gan dy fam yn cyd-weld â thi." Wrth gwrs, unwaith y câi'r plentyn flas ar y canu 'doedd o ddim eisiau gadael y côr. A, beth bynnag, 'dderbyniais i erioed yr un llythyr gan fam yn cefnogi unrhyw blentyn na fynnai fod yn y côr.

Ffurfiwyd côr o ddisgyblion dosbarthiadau 3 hyd 6, a chefais y pleser o wrando ar bob un ohonyn nhw, rhai'n wych, rhai'n wantan, ond pawb yn awyddus i blesio a chyfrannu. Yn ystod y gwrandawiadau hyn y clywais un o'r lleisiau mwyaf cyfareddol a glywais erioed o enau merch ysgol. Ei henw oedd Jane Evans, a oedd y pryd hwnnw ar ei thrydedd flwyddyn yn y chweched dosbarth. Y syndod a'r rhyfeddod i mi oedd nad oedd neb cynt, o'i chlywed yn canu, wedi amgyffred y potensial lleisiol oedd ganddi.

Ychydig fisoedd ynghynt yr oeddwn wedi cyfansoddi'r gân "O, Gymru" i eiriau gan Leslie Harries a addaswyd gan Aled Lloyd Davies. Y flwyddyn 1969 oedd hi, blwyddyn Eisteddfod Genedlaethol yr Urdd yn Aber-ystwyth. Es ati i lunio trefniant i unawdydd, lleisiau cefndir a dwy gitâr. Aeth y perfformwyr drwy'r Eisteddfodau Cylch a Sirol yn ddidrafferth, ac ymlaen â ni i Aberystwyth. Aethom i lawr ym mws yr ysgol ac aros mewn gwesty yn y dref. Pan gyrhaeddon ni neuadd y rhagbrawf yr oedd y lle o dan ei sang. Meredydd Evans oedd wrth fwrdd y beirniaid, ac yr oedd y cantorion yn canu un ar ôl y llall, nes daeth yr alwad i Jane Evans ganu. John Roberts a John Grocotte yn trin y ddwy gitâr, pump o ferched yn canu yn y cefndir, a Jane yn unawdydd. 'Roedd ganddi lais cyfareddol, ac at hynny yr oedd hi'n ferch hynod o drawiadol, bron yn sipsïaidd, a chanai o'i chalon.

O'r nodyn cyntaf syrthiodd distawrwydd rhyfeddol dros y neuadd. Wrth ei fwrdd 'doedd Meredydd Evans yn ysgrifennu dim, ond yn hytrach yn gwrando a gwerthfawrogi talent neilltuol y ferch a oedd yn canu. Wedi'r nodyn olaf, distawrwydd llethol, ac yna ffrwydrodd y gymeradwyaeth fwyaf swnllyd a glywais i erioed.

Enillodd Jane a'i chyd-artistiaid y wobr gyntaf, a lansiwyd "O, Gymru" ar ei thaith. Erbyn hyn recordiwyd y gân gan 'dwn-i-ddim faint o gorau ac unawdwyr, ond 'anghofia i byth mai Jane a'i canodd i ddechrau. Gyda llaw, aeth Jane o Ysgol Treffynnon i Brifysgol Caeredin, arhosodd yno am flynyddoedd ar ôl priodi, gan ennill cystadleuaeth y gân werin yn y Mod, Eisteddfod yr Albanwyr, cyn dychwelyd i Gymru a setlo yn Llanrwst. Yno ymaelododd â chôr merched Maureen Hughes, Côr Merched Carmel. Y mae gen i ddyled fawr iddi hi a'r criw ifanc am roi cychwyn i yrfa "O, Gymru".

'Roedd plant Treffynnon ymysg y mwyaf teyrngar a gefais i erioed. 'Doedd neb byth yn colli ymarfer yn ystod yr awr ginio. A chawsom ein hawr fawr yn Eisteddfod Genedlaethol yr Urdd ym Mhorthaethwy, pan enillon ni'r wobr gyntaf yn y gystadleuaeth i gorau am ganu'r rhangan heriol "O dyred, Dewi" o waith Arwel Hughes. Wrth gwrs, yr oedd J. B. Jarvis wrth ei fodd, ac erbyn hynny yr oedd y ddau ohonom yn parchu'n gilydd yn fawr.

'Roedd yn Nhreffynnon nifer dda o athrawon a chanddynt dalentau arbennig, yn arlunwyr, technegwyr, seiri coed, ac yn y blaen, – cyfoeth o dalentau a barodd i ni ystyried cyflwyno rhai o weithiau llwyfan Gilbert a

Sullivan, gan ddechrau gyda *The Pirates of Penzance*. 'Doedd dim lle ond i ryw drigain ar y llwyfan, ond dysgais y cyd-ganeuon i ryw gant a hanner o ddisgyblion, yna dewis y goreuon i esgyn i'r llwyfan a gosod y gweddill wrth ochr y llwyfan i gyfrannu i'r cyd-ganeuon gwych sy'n y gwaith. Hefyd gwahoddais aelodau o'r staff i gymryd rhan, rhai fel unawdwyr, eraill fel aelodau o'r corws.

Fe weithiodd pethau'n ysgubol – yn ysgubol ar sawl lefel. 'Roedd gan un athro broblemau disgyblaeth, ond ar ôl i'r plant ei glywed yn canu gydag arddeliad 'chafodd o ddim mymryn o drafferth wedyn. At hyn, yr oedd y plant yn ein gweld y tu allan i furiau'r dosbarth, ac yn sylweddoli bod y staff a'r disgyblion yn cydweithio er budd yr ysgol. Aed ymlaen i berfformio *HMS Pinafore*, *The Mikado*, *Trial by Jury*, a chlasur Lionel Bart, *Oliver*. Trefnu pethau bob yn ail flwyddyn a wnaethom: un flwyddyn Noson Nadoligaidd, a'r flwyddyn wedyn sioe gerdd, gan ddenu cynulleidfaoedd mawrion noson ar ôl noson.

Fel y dywedais, tynnodd y fenter hon athrawon a phlant yn nes at ei gilydd, a gwelwyd pa mor bwysig oedd cyd-weithio i sicrhau llwyddiant.

Wedi i mi fod yn Nhreffynnon am ryw flwyddyn fe ddaeth i'r ysgol syniad a oedd wedi lledu drwy'r sir fel tân gwyllt, y syniad o adeiladu fframwaith o ofal yn yr ysgol – Fframwaith Fugeiliol. Y syniad oedd rhoi i bob blwyddyn ysgol ei hathro bugeiliol i ddelio gyda phroblemau disgyblaeth, neu'n wir broblemau addysgol neu emosiynol. Er mawr syndod i mi, fe'm gwahoddwyd gan J. B. Jarvis i weithredu fel pennaeth yr Adran Fugeiliol holl bwysig hon. Dyma un o'r goruchwylion anoddaf a gefais erioed – gorchwyl a oedd ar adegau yn ymylu ar fod yn ddirdynol. Y fi oedd yn gyfrifol am y llinell gysylltiol rhwng yr ysgol a'r Heddlu, y Gwasanaeth Prawf, y gweithwyr cymdeithasol, y 'plismon plant', nyrs yr ysgol, ynghyd ag unrhyw un arall yr oedd ei ddyletswydd yn cynnwys trin plant.

'Roedd rhai o'r problemau'n ddyrys ofnadwy ac yn agoriad llygad i mi. Gynt, 'doeddwn i ddim yn sylweddoli bod plant yn byw dan amodau mor ofnadwy, mor ofnadwy fel nad oedd gwaith ysgol yn ddim o beth yn eu bywydau. O ymweld â llawer o gartrefi'r plant gwelais â'm llygaid fy hun mor anodd oedd eu hamodau byw, a bod llawer o'r rhieni yn ei chael hi'n anodd i ddelio gyda phroblemau emosiynol eu plant.

Ond wedi naw mlynedd yn Ysgol Uwchradd Treffynnon beth ddaeth i'm sylw ond hysbyseb fod Ysgol Maes Garmon yn chwilio am ddirprwy- brifathro. 'Roedd yr ardderchog Alan Wyn Roberts wedi derbyn swydd yn Ysgol Uwchradd Bodedern yn Sir Fôn, ac felly yr oedd yna fwlch ar ei ôl ym Maes Garmon. Cymysg oedd fy nheimladau wrth anfon llythyr cais, ond yr oedd baich fy nyletswyddau yn Nhreffynnon yn ofnadwy o drwm, ac yr oedd Maes Garmon yn ymddangos yn ddeniadol iawn i mi. Felly, dyma fentro.

Maes Garmon (eilwaith)

Er mawr lawenydd i mi cefais y swydd, y cyfle i ailymuno ag athrawon yr oeddwn yn eu hadnabod yn dda o'r chwedegau, a'r cyfle i adnabod athrawon mwy newydd a oedd yn hollol ymroddedig ac a oedd yn sylweddoli i'r dim beth oedd eu braint a'u cyfrifoldeb. Yn eu plith pobl fel Iwan Jones, Glyn Williams, Alan Victor Jones, Emyr Roberts, ynghyd â sawl un arall a gyfrannodd gant y cant i sicrhau llwyddiant parhaol yr ysgol.

'Roeddem i gyd yn hynod ffodus fod Aled Lloyd Davies yno fel prifathro – os caf i ddweud, prifathro delfrydol ym mhob ffordd. 'Roedd ganddo ffordd arbennig iawn o ddod i adnabod ei blant. Gofalai ei fod yn cael sefyll o flaen dosbarthiadau newydd y flwyddyn gyntaf, a byddai'n gofyn i bob disgybl ddweud ei enw, enwi'r dref neu'r pentref lle'r oedd yn byw, ac enwi'i ysgol. Ar ddiwedd y gwersi, byddai'r plant yn mynd allan mewn llinell, a safai'r prifathro wrth y drws i ddweud eu henwau, enwau'r llefydd lle'r oedden nhw'n byw, a'u hysgolion blaenorol. Anhygoel! Ond fel y dywedodd Aled sawl tro, dyna ddawn dyn Cerdd Dant sydd â channoedd o linellau ar ei gof.

Y mae swydd dirprwy yn swydd arbennig iawn. Y fi oedd yn gyfrifol am rediad dyddiol yr ysgol. Os byddai athro yn absennol y fi oedd yn ffonio ac yn sicrhau athro llanw a gyrhaeddai'r ysgol tua hanner awr wedi naw y bore. Os oedd eisiau llenwi'n fewnol, y fi oedd â'r dasg amhoblogaidd o ofyn i athro roi heibio'i wers rydd. Rhaid dweud, dros y saith mlynedd y bûm yn ddirprwy ym Maes Garmon, 'chefais i yr un gŵyn gan unrhyw un o'r athrawon. Dyna fesur go dda o'u teyrngarwch.

'Roedd Aled yn awyddus i mi gyfrannu at waith yr Adran Gerdd yn yr ysgol, er bod Elizabeth Hughes yn bennaeth rhagorol arni, ac er bod Ceurwyn Evans, fy olynydd i yn y swydd, yn parhau i ddysgu yn yr ysgol fel athro mathemateg. Felly, ar y pryd hwnnw, yr oedd ym Maes Garmon dri athro a fu'n benaethiaid yr Adran Gerdd rhwng 1961 a 1977.

Fy nyletswydd i yn gerddorol oedd gofalu un waith yr wythnos am hanner blwyddyn o blant ar y tro – tua naw-deg o hogiau a merched – a cheisio cael hwyl gerddorol hefo nhw. Fel un o selogion y mudiad Tonic Sol-ffa, treuliwn rannau helaeth o'r gwersi yn hyrwyddo'r iaith gerddorol arbennig honno, gan gynnwys arwyddion llaw a oedd yn gyfystyr â nodau. Nid pawb o fyd yr arolygwyr oedd yn cyd-weld â mi yn hyn o waith – nes i ni un diwrnod gael ymweliad gan athro cerdd o un o brifysgolion America. Ar ôl gweld beth oeddwn i'n ei wneud hefo'r plant yr oedd wedi'i blesio hyd ryfeddod, i'r fath raddau fel y ffilmiodd ni'n mynd drwy'n pethau. Ac o hynny ymlaen 'chlywais i ddim gair o feirniadaeth ar y dull gwerthfawr hwn o ddarllen cerddoriaeth. Pan sylweddolwyd bod y cyfansoddwr mawr ei barch, Bela Bartok, yn arddel y sol-ffa, wel, dyna newid agwedd. 'Doeddwn i ddim am ddweud wrth yr arolygwyr fod fy Nhad yn defnyddio dull Bartok 'nôl yn y tridegau, a fynta erioed wedi clywed sôn amdano.

Saesneg oedd fy mhwnc dysgu, a chefais gryn fwynhad o'r gwaith, yn dysgu plant a oedd ar dân ac a dderbyniai eu haddysg gyda brwdfrydedd a oedd yn heintus.

Cefais gyfle hefyd i gydweithio gydag Aled ar sioe gerdd wedi ei seilio ar lyfr Daniel Owen, *Rhys Lewis*. Cymerwyd y brif ran gan fachgen sydd erbyn hyn yn fyd-enwog, y dihafal Rhys Ifans. 'Roedd Aled wedi llunio sgript arbennig o wych, fel y buasech yn disgwyl, ac wedi cyfrannu hefyd eiriau i'r alawon yr oeddwn i wedi eu llunio ar gyfer y sioe. Y mae un atgof sydd hyd heddiw yn un o'r atgofion mwyaf llachar sydd gennyf o'r paratoadau ar gyfer *Rhys Lewis*. 'Roeddem yn ymarfer yr olygfa drist lle mae Seth yn marw. Dyna lle'r oedd y bachgen a actiai Seth ar fainc ymarfer corff, yn cymryd arno ei fod newydd ein gadael. Carys Tudor oedd yn cynhyrchu, a dyma hi'n dweud: "Mae angen gweddi yma. Rhys, rho air o weddi." Heb aros i feddwl dyma Rhys Ifans yn cau ei lygaid ac yn gweddïo: "Cyd-weddïwn. 'Dan ni'n diolch i ti, O, Arglwydd, am Seth, a 'dan ni'n drist iawn ei fod o wedi marw. Plîs, wnei di edrych ar 'i ôl o? Amen." Pawb yn agor ei lygaid, a minnau'n gweld bod llawer o'r plant ac un athrawes yn sychu dagrau. 'Roedd hi'n amlwg hyd yn oed y pryd hwnnw fod yr hogyn o Rhuthun am osod ei farc ar fyd y theatr a'r ffilm.

'Dw i'n cofio un amgylchiad arbennig yn ystod wythnos gyntaf Rhys yn yr ysgol. Un bore dyma gnoc wyllt ar ddrws fy swyddfa, a phwy ddaeth i fewn ond Rhys Ifans a'i gyfaill Myfyr Aled. "Beth sy'n bod?" gofynnais. "'Dan ni wedi clywed bachgen yn rhegi," meddan nhw gyda'i gilydd. "Be ddeudodd o?" meddwn i. O, 'doedden nhw ddim yn licio dweud. "Wel," meddwn i, "a pha lythyren oedd y rheg yn cychwyn?" "Hefo V," meddai Myfyr Aled. "Taw, ffŵl," meddai Rhys, "F oedd hi." On'd yw hi'n rhyfedd beth sy'n aros yn eich cof!

Dywedais y stori ynglŷn â *Rhys Lewis* ar raglen deledu sbel yn ôl. Rhyfeddod i mi oedd derbyn rai wythnosau wedyn ddarlun o'r union olygfa – Seth ar ei fainc a Rhys yn gweddïo. 'Roedd Rhys wedi gweld y rhaglen yng Nghyprus ac wedi anfon y llun a'i ddymuniadau gorau ataf. Ei hen athro wrth ei fodd, wrth gwrs.

Am fod yr awyrgylch mor gartrefol a'r ethos yn weithgar a chyfeillgar iawn, yr oedd mynd i Ysgol Maes Garmon yn ddyddiol yn debyg iawn i fynd adref. Anaml iawn y codai problemau disgyblaeth am fod yr athrawon mor barod i sgwrsio hefo'r plant a cheisio datrys problemau cyn iddyn nhw ddatblygu. Arweinyddiaeth Aled y prifathro oedd yn gyfrifol am hyn. Chwiliai am ateb i bob problem, a thrwy hynny osgoi pob agwedd wrthryfelgar yn yr ysgol. Yr eildro hwn, yr oeddwn ym Maes Garmon o 1977 hyd 1984, dyddiau da a phrysur. Diolch i'r drefn, 'doedd dim rhaid i mi drefnu'r amserlen yn flynyddol – dyma ddyletswydd Gwyn Davies, a ddaeth ymhen amser yn brifathro Ysgol Thomas Jones Amlwch. 'Roedd gan Gwyn feddwl fel rasal, a chof anhygoel. Gwelais athrawon sawl tro yn mynd ato ar y coridor i ofyn cwestiwn digon cymhleth am yr amserlen. Yn gwrtais ond yn hollol awdurdodol atebai Gwyn bob un ohonyn nhw, a thrwy hyn godi'i stoc yn yr ysgol.

Cefais hefyd y pleser digymysg o weithio gydag Aled ar

sawl sioe gerdd, *Rhys Lewis*, fel y dywedais, ac *Iwrocwac*, *Blerwm*, a *Ble mae Arthur?* Y mae Aled yn saer geiriau arbennig o dalentog, a chan ei fod hefyd yn ganwr gwych y mae'n meddu ar y ddawn brin i lunio geiriau sydd bob amser yn canu'n esmwyth.

Fy nghyd-ddirprwy-brifathro ym Maes Garmon oedd fy nghyfaill Ednyfed Williams, gŵr o dalentau lu – canwr, cyflwynydd cyngherddau, ac actor arbennig iawn, fel y prawf ei ddehongliadau o Fagin yn *Oliver* a Tevia yn *Fiddler on the Roof*. Y fo hefyd oedd un o brif gymeriadau'r sioe *Ffantasmagoria* yn 1977. A dweud y gwir, 'dyw Cymru ddim wedi gweld ei dalent aruthrol ym myd y ddrama a'r ddrama-gerdd.

At hyn, yr oedd Ednyfed yn arbenigwr ar ddysgu'r Gymraeg i ddisgyblion yr oedd y Gymraeg yn ail iaith iddynt: cawsai flynyddoedd o brofiad yn y maes yn ystod ei flynyddoedd yn Ysgol Ramadeg y Rhyl. Dyna pam yr oedd ei waith yn Ysgol Maes Garmon o bwys rhyfeddol. Bu Ednyfed a minnau'n teithio gyda'n gilydd i'r Wyddgrug – hir a hapus fu'r siwrneiau – deugain milltir y dydd – am saith mlynedd. Ei arbenigedd, fel y dywedais i, oedd dysgu'r Gymraeg i ddysgwyr. Un prynhawn dydd Gwener gofynnodd i'r dosbarth lunio chwe brawddeg ynglŷn ag yfory, y Sadwrn a oedd i ddilyn, a dywedodd wrthynt am holi os na fedren nhw gyfieithu rhyw air neu'i gilydd. Ymhen rhyw chwarter awr dyma hogyn yn codi ei law ac yn gofyn: "Beth ydi'r gair Cymraeg am *marathon*?" "Yr un fath," meddai Ednyfed. Pan ddaeth y papurau i'w ddwylo beth welodd Ednyfed ar bapur yr holwr oedd: "Mae fy mrawd yn rhedeg yr un fath yfory." Coffa da am athro gwych a chymeriad cyhoeddus arbennig o ddawnus.

'Rwy'n credu fod yna un peth arall oedd yn nodwedd o fywyd yn Ysgol Maes Garmon, sef y pethau hwyliog oedd yn digwydd – pethau oedd yn dwyn gwên i wyneb pawb, ac yn wir, oedd yn gwneud bywyd yn ganmil mwy pleserus.

Wyddoch chi beth ydi un o'r pethau mewn bywyd ysgol sydd yn gwbl angenrheidiol, ond sydd yn medru bod yn fwrn weithiau, ac yn dipyn o slog? Sôn yr ydw i am nosweithiau rhieni, a chredwch fi, 'rydw i wedi byw trwy fyrdd ohonyn' nhw. Mae yna dduedd ymhlith rhai rhieni i setlo'i lawr am amseroedd maith gydag unrhyw athro sy'n dysgu eu plant hwy. O ganlyniad, mae nosweithiau rhieni yn medru ymestyn dros oriau lawer, gyda rhai o'r rhieni sydd y tu ôl i'r ciw yn troi am adref heb gael gweld pob athro neu athrawes sy'n dysgu eu plant.

Pan wawriodd oes y cyfrifiaduron, yr oeddem fel ysgol yn credu fod gwaredigaeth ar y gorwel. Aethom i drafferth mawr i amserlennu pob athro ac athrawes oedd yn dysgu'r flwyddyn oedd o dan sylw ar y noswaith honno, gan nodi slot pum munud ar gyfer pob pwnc yr oedd pob plentyn yn ei astudio, a chan ofalu fod rhieni'r plant oll yn cael gwybod beth oedd eu hamserlen hwy ymlaen llaw. Yn hyn o beth, 'rwy'n credu fod Maes Garmon ar flaen y gâd ymhlith ysgolion uwchradd y sir, a chredasom i gyd y byddai'r cyfrifiadur wedi datrys un o'n problemau mawr. Tra 'roeddem yn gosod y byrddau yn eu lle ar gyfer yr athrawon o amgylch Neuadd yr ysgol cyn dechrau'r cyfarfod, yr oeddem oll yn llawn optim-istiaeth. Ond yn anffodus, gwelwyd nad oedd y cyfrif-iadur wedi rhoi unrhyw ystyriaeth i beth oedd syniad rhai rhieni o bum munud, ac yn fuan iawn gwelwyd fod ciwiau yn dechrau ymgasglu o flaen ambell fwrdd a'r sefyllfa bron cynddrwg ag o'r blaen.

Bellach, nid oedd ond un peth i'w wneud, ac ar awrgym rhai o'r athrawon, anfonwyd fi at biano'r Neuadd i chwarae amrywiadau o "Ar hyd y nos", a hefyd, y gân oedd yn fwy effeithiol na dim un arall, sef *"Now is the hour for me to say 'Goodbye'!"*

Ydi. Mae cael pobol i wenu yn bwysig mewn ysgol fel y mae mewn sawl sefyllfa arall. Pe bawn i'n gofyn cwestiwn i chi, tybed a fyddech chi'n gwybod yr ateb? Dyma'r cwestiwn. A fedrwch chi ddyfalu pa ystafell yw'r ystafell fwyaf blêr mewn ysgol? Wel, mi dd'weda i wrthoch chi, hynny ydi, os nad ydi pethau wedi newid yn arw dros y chwarter canrif diwethaf – yr ystafell athrawon. Ac yr oedd ystafell athrawon Maes Garmon yn nodweddiadol, yn llawn o bentyrrau llyfrau, rholiau o fapiau a siartiau, bagiau plastig, paneidiau te a choffi, cotiau, pentwr neu ddau o esgidiau pêl-droed, a phob math o daclau eraill.

Yr oedd archwiliad ar y gorwel, a thybiai'r prifathro y byddai'r arolygwyr yn siŵr o dalu ymweliad â 'stafell yr athrawon rywdro yn ystod eu hymweliad. Ac felly, fe roes ef gynnig ar wella'r sefyllfa trwy osod neges ar y bwrdd hysbysebiadau yn yr ystafell athrawon, – neges oedd yn dweud rhywbeth tebyg i hyn:

Gan y bydd gennym nifer o arolygwyr yn dod i'r ysgol ymhen rhyw fis neu chwech wythnos, byddai'n well i ni baratoi ar eu cyfer. Fe fyddant yn siwr o ddod i'r ystafell hon, ac fe hoffwn apelio atoch i dacluso tipyn arni.

Ac yn wir, fe fu gwelliant sylweddol, ond dim ond am rhyw wythnos, cyn i bethau ddechrau dychwelyd i'r hen stad flaenorol unwaith yn rhagor.

Nid oedd dim byd amdani ond gosod rhybudd arall i fyny, ac i mi y syrthiodd y gwaith o lunio'r neges. A'r bore wedyn, gwelwyd neges newydd ar fwrdd hysbysiadau yr ystafell athrawon, sef:

Yn ystod yr wythnosau nesaf, fe fydd nifer sylweddol o Arolygwyr ei Mawrhydi yn dod i dreulio wythnos yn Ysgol Maes Garmon, ac fe fyddant yn ymweld â phob twll a chornel o'r ysgol, gan gynnwys yr ystafell hon. Er mwyn iddynt gael gweld yr ystafell yn daclus am unwaith, hoffwn ofyn i bob un ohonoch symud pob sterniach a chachdifelachau sy'n perthyn i chi allan oddi yma, neu fe fyddant yn sicr o fynd â nhw i'w canlyn.

Do. Fe ddigwyddodd gwyrth, ac yn wir, fwy na gwyrth, oherwydd fe gadwyd yr ystafell athrawon bron iawn fel pin mewn papur am weddill y tymor. Pan aeth yr Arolygwyr i'w hynt, fe ddigwyddais ofyn i un neu ddau o'r athrawon pa beth oedd achos y diwygiad, a'r ateb a gefais oedd, "Am nad oedd neb yn gwybod beth ar y ddaear hon oedd "sterniach" na "chachdifelachau", felly fe symudwyd popeth, jest rhag ofn!

Oes, mae mwy nag un ffordd o gael Wil i'w wely, fel y dywed yr hen ymadrodd!

Yna fe ddaeth 1984, a'r gwahoddiad o'r swyddfa i mi ystyried bywyd ar ôl ymddeoliad. Erbyn hyn yr oeddwn wedi bod yn athro am dri-deg-wyth o flynyddoedd, wedi mwynhau pob un ohonyn nhw, wedi cael y fraint o gyd-weithio ag athrawon a oedd yn addurn ar eu galwedig-aeth, ynghyd â'r pleser digymysg o adnabod plant a phobl ifanc a oedd yn llawn deilwng o'r sylw y cefais i'r cyfle i'w roi iddynt. Wrth gwrs, dros y blynyddoedd mi wnes i gyfarfod â rhai athrawon na ddylai fod yn eu swyddi, athrawon a aeth i fyd addysg am nad oedd ganddyn nhw'r adnoddau i wneud unrhyw beth arall. 'Ddylai neb fynd i ddysgu gan ddisgwyl bywyd hawdd a diymdrech. Y mae'r ifanc yn hawlio ac yn haeddu ein teyrngarwch, ein sylw, ein parch, a'n hoffter. 'Wnaeth yr un ohonyn nhw ein dewis *ni* fel eu hathrawon. Gan hynny, ein dyletswydd ni yw rhoi o'n gorau iddyn nhw yn union fel y buasem yn disgwyl i athrawon eraill roi i'n plant ni.

Yma ac acw

Ym mis Gorffennaf 1984 daeth yr amser i mi droi am adref o Faes Garmon am y tro olaf, a hynny gyda theimladau cymysg iawn. Wrth lwc, yn 1984 yr oeddem ar dorthwy Eisteddfod Genedlaethol y Rhyl 1985, a minnau'n digwydd bod yn gadeirydd y Pwyllgor Cerdd. Felly, yr oedd gen i'r amser i ganolbwyntio ar y dyletswyddau hynny, a rhyfeddu at yr holl waith swyddfa yr oedd yn rhaid wrtho i sicrhau llwyddiant.

(i) DARLLEDU

Wedi'r flwyddyn honno cefais wahoddiad gan Meirion Edwards, pennaeth Radio Cymru ar y pryd, ac R. Alun Evans, pennaeth BBC Cymru yn y Gogledd, i baratoi a chynhyrchu rhaglenni cerddorol ar gytundeb blwyddyn. Cyn hynny, yn 1979, cefais wahoddiad gan Gwyn Williams, un o gynhyrchwyr mwyaf arloesol Radio Cymru, i gyflwyno rhaglen foreol wythnosol o dan yr enw *Segura*, a hynny am fis yn unig. Ond dyma fi, dros ddeg-ar-hugain o flynyddoedd yn ddiweddarach, yn dal i'ch cyfarch, erbyn hyn o stiwdio *Taro Naw*, a hynny am chwech y bore. 'Dw i'n dweud yn aml fod y rhaglen *Taro Naw* yn rhaglen ar gyfer y rhai hynny sy'n deffro'n annaearol o gynnar neu'r rhai hynny a chanddyn nhw broblemau meddygol sy'n peri iddyn nhw ddihuno'n annaturiol o fuan. Erbyn hyn, oherwydd y dechnoleg ddiweddaraf, y mae modd clywed *Taro Nodyn* dros y byd i gyd.

Flynyddoedd cyn 1979 – eto ar wahoddiad Gwyn Williams – cefais y pleser llwyr o gyfrannu i nifer fawr o raglenni radio, rhaglenni fel *Y Dafarn Goffi, Sêr y Siroedd*, ac yn arbennig *Canu'n Llon*, cyfresi o ryw saith-deg o raglenni yn y chwedegau a'r saithdegau. Yr adeg honno yr oeddwn yn trefnu caneuon yn wythnosol i Feibion Menlli a oedd yn fy nghyfarfod yn Neuadd y Penrhyn, Bangor bob yn ail ddydd Sul i recordio dwy raglen hanner-awr. 'Roedd gen i biano gwych, organ drydan, a Glockenspiel. Os clywsoch chi rywbryd record o Tony ac Aloma yn canu "Y Tri Mochyn Bach", wel, y fi sy'n trin y Glockenspiel sy'n gyfeiliant iddyn nhw. 'Roedd y delynores hynod dalentog Morfudd Maesaleg hefyd yn cyfeilio yn Neuadd y Penrhyn: hi fyddai'n canu'r delyn i ganeuon Cerdd Dant yr hogiau. Ychwanegwch y drymiwr Brian Fillingham a'r gitarydd Robbie Hill, ac fe welwch fod gennym griw da o gerddorion a gafodd hwyl ddi-ben-draw yn paratoi rhaglenni radio mewn cyfnod sy'n ymddangos mor bell yn ôl erbyn hyn.

Hefyd cynhyrchais raglen reit debyg i *Desert Island Discs*, a rhaglen o emynau ar fore Sul, *Mawlgan*, pryd y cefais y fraint amhrisiadwy o gael gwasanaeth y Parchedig Robin Williams, gŵr a ddangosodd i mi y ddawn o gyrraedd ei gynulleidfa heb rwysg na hunanfroliant. 'Roedd ei gyfraniad yn werthfawr iawn, ac yn wers wythnosol i mi sut i gyfathrebu drwy gyfrwng y radio.

Cefais y pleser o gael cwmni Haf Wyn, a oedd yn ysgrifenyddes i mi, merch wedi ei magu i werthfawrogi diwylliant, cantores arbennig o dalentog a oedd yn deall yn union beth oedd nod y rhaglenni yr oeddwn i yn gyfrifol amdanyn nhw. 'Roedd arweiniad R. Alun Evans o werth mawr i mi, a chyfeillgarwch a phrofiad Elwyn Jones, prif gynhyrchydd Radio Cymru ar y pryd. Pan oedd Elwyn yn cynhyrchu *Taro Nodyn* y peth olaf a ddywedai cyn dechrau recordio oedd, "Joia." Trwy ei arweiniad tawel cefais bleser llwyr yn cyflwyno, pleser sydd wedi aros gyda mi hyd heddiw.

(ii) CERDDORA

Felly, i fod yn fanwl gywir, ymddeolais o waith dyddiol yn y flwyddyn 1986. Erbyn hyn yr oedd Gwen hefyd wedi ymddeol. A dyma edrych ymlaen at hapusrwydd ychwanegol, dyhead a gafodd ei wireddu gannoedd o weithiau dros y blynyddoedd diwethaf.

Nid pawb sy'n gwybod bod gan Gwen a mi ddau o blant – Caryl, wrth gwrs, a aned yn 1958, ac sydd yn weddol adnabyddus erbyn hyn; a'r anrheg o fab a gawsom yn 1964, Dafydd Rhys. 'Ddylwn i ddim dweud efallai, ond yr oedd Dafydd yn faban arbennig o hardd ac yn denu sylw pawb a'i gwelai. 'Dw i'n cofio gweld Caryl yn crïo'n ddistaw un bore. Minnau'n gofyn iddi beth oedd yn bod. A'r ateb? "'Does neb isio 'mhrynu i." Cyfeirio yr oedd hi at yr adegau hynny pan fyddem yn mynd â Dafydd allan yn ei bram, a Caryl hefo ni, a phobl wrth edmygu harddwch y babi yn gofyn, i Caryl y rhan amlaf, "'Ga i ei brynu o?"

'Fuasech chi ddim yn meddwl mai'r un rhieni a fagodd Caryl a Dafydd. Y mae Caryl yn allblyg ac yn llenwi'r tŷ gyda'i brwdfrydedd. Yr oedd – ac y mae – Dafydd yn ddistaw ac yn bwyllog. Y mae'n dad rhyfeddol o ofalus o'i blant, ac yn dal swydd eithaf cyfrifol sy'n mynd ag ef dros y rhan fwyaf o Ogledd Cymru. A chan ei fod ef a'i briod Fiona yn byw o fewn rhyw bum munud i'n tŷ ni, yr ydym yn eu gweld yn aml iawn ac yn mwynhau cwmni eu hogiau Jos a Cai yn gyson. 'Dw i'n cofio cwyno ryw dro wrth un foneddiges fod Caryl a'i theulu yn byw mor bell i ffwrdd – 185 o filltiroedd o'n tŷ ni i'w thŷ hi yn y Bontfaen. "Peidiwch â chwyno," meddai hi, "mae gen i dair merch a maen nhw i gyd yn byw yng Nghanada." Dyna fy rhoi i'n fy lle yn ddigon sicr.

Ond dewch yn ôl gyda mi i'r flwyddyn 1948 a minnau newydd ddechrau ar fy ngyrfa fel athro ifanc yn Ffynnongroyw, y pentref delfrydol ar y pryd a'm cartref ysbrydol hyd heddiw. Yno y cefais y cyfle cyntaf i gyfeilio mewn eisteddfod. 'Doedd fy athrawon piano ers talwm ddim yn credu mewn arholiadau cerdd. Yn wir, os ydyw o ddiddordeb i chi, yr unig dystysgrif sydd gen i ym maes canu'r piano yw Gradd Un, yr isaf o'r holl raddfeydd arholiadol. Yn nes ymlaen, dan ddylanwad Gwen, holais ynghylch astudio ar gyfer diploma mewn cerdd, yr LRAM, y *Licenciate of the Royal College of Music*. Cwrs tair blynedd yn Llundain oedd hwnnw – allan o'r cwestiwn i mi. Holi eto a chael ar ddeall bod coleg cerdd yn Lerpwl a oedd yn paratoi myfyrwyr allanol at yr arholiad hwn. Holi ymhellach a chael bod gan y coleg, *The Mattay School of Music*, athro yn Wrecsam, gŵr o'r enw Leonard Pugh.

Ym mis Tachwedd y flwyddyn 1948 fy nefod

Sadyrnaidd oedd cerdded y filltir a hanner i orsaf Mostyn, cael trên i Gaer, yna trên i Wrecsam, a cherdded am ryw filltir i gartref Leonard Pugh am wers. Gwers awr, ond trafaelio am bron i dair awr. Erbyn mis Chwefror barn Leonard Pugh oedd fy mod yn barod i sefyll yr arholiad holl bwysig. Yn Ebrill, tua phum mis ar ôl cychwyn y gwersi, dyma drafaelio i Lundain i'r Academi Frenhinol i sefyll yr arholiad. Cerddais i fewn i'r adeilad hardd, a merch hardd yn fy nghyfarch. *"Have you come for the exam?"* gofynnodd. Finnau'n ateb: do. A'i hateb hi wedyn? *"What a bloody hope you've got."* Am groeso! Beth bynnag, ymhen amser fe ddaeth y newydd fy mod wedi llwyddo, ac y cawn i'r pleser o roi'r llythrennau LRAM ar ôl fy enw.

'Rŵan 'te, 'doeddwn i ddim yn well pianydd nag oeddwn cyn hynny, ond yr oedd i'r llythrennau hud arbennig. Cyn pen dim daeth gwahoddiadau i gyfeilio mewn nifer dda o gyngherddau ac eisteddfodau. A dyna gychwyn ar flynyddoedd o drafaelio yma ac acw'n cyfeilio mewn neuaddau ar hyd a lled Cymru.

(iii) EISTEDDFOTA

Y mae dyletswyddau cyfeilydd eisteddfodol yn rhai dyrys ofnadwy (cyfeiriais at hyn mewn pennod flaenorol). 'Rydych chi'n eistedd wrth y piano, o flaen cynulleidfa wybodus, yn disgwyl cantorion o bob safon, yn aml heb wybod beth maen nhw am ei ganu. Weithiau y mae eu caneuon yn gyfarwydd, ond ar adegau y maen nhw'n hollol newydd. Erbyn hyn y mae cyfle i gyfeilyddion eisteddfodol gael cyfle i ymarfer gyda'r cantorion, ac y mae hynny'n hollol dderbyniol – yn angenrheidiol ar adegau. Ac erbyn hyn hefyd y mae gennym yng Nghymru nythaid o gyfeilyddion gwych sy'n addurn ar ein byd cerddorol, pobl fel Annette Bryn Parri, Harvey Davies, Eirian Owen, Dafydd Lloyd Jones, Jeffrey Howard, Bryan Davies, a nifer o rai eraill sydd wedi cyfrannu'n aruthrol i'r llwyfan eisteddfodol.

Ym myd y cyngherddau yr oedd ac y mae bywyd y cyfeilydd yn llawer llai o straen. Cefais gyfnod hir o gyfeilio i gyfeillion – pobl fel Gwyn Jones Llanelwy, un o'r lleisiau gorau a glywais erioed; y tenor Elwyn Edwards, un a dreuliodd flynyddoedd fel canwr proffesiynol ac ar ôl ymddeol a gyfrannodd yn helaeth i gyfoeth ein llwyfan cyngherddol; Bob Roberts Dinbych, a enillodd y Rhuban Glas ddwy waith; a'r baritoniaid Trebor Jones ac Elwyn Hughes Marian-glas ('doedd neb yn canu *"It is enough"* yn debyg i Elwyn Hughes); a Hywel Price, bariton a chanddo lais o ansawdd neilltuol iawn.

Weithiau deuai gwahoddiadau i gyfeilio mewn cyngherddau a oedd yn ddieithr i mi. 'Dw i'n cofio'n dda gyngherddau Pwyllgor Cŵn Defaid Rhosesmor, cyngherddau hynod boblogaidd a ddenai gantorion fel Stuart Burrows, Glenys Dowdl, Richard Rees a Richie Thomas, cantorion yr oedd ganddyn nhw dalent gydnabyddedig. Dros y blynyddoedd gwelais fod y cantorion mwyaf enwog bob amser yn hynod gwrtais ac yn awyddus iawn i fod ar delerau da gyda'u cyfeilydd. Dywedodd un canwr hynod enwog wrthyf ei bod hi'n bwysig iawn cadw'r cyfeilydd yn hapus gan fod ganddo'r arf gorau i'w arwain at lwyddiant neu fethiant.

Bues i'n ffodus dros ben i gael rhannu dyletswyddau gyda rhai o gyfeilyddion mwyaf profiadol Gogledd Cymru – Nellie Lewis o Bootle, a gyfeiliai'n flynyddol yn eisteddfod boblogaidd Rhuallt; y foneddiges hyfryd

Llywela Roberts o Landderfel; a'r cerddor gwych hwnnw, Maelor Richards o Wrecsam, cyfeilydd hir iawn ei brofiad ac a gyfeiliai'n hyderus beth bynnag a gâi ei osod o'i flaen. Ganddyn nhw cefais gyfle i gyfeilio yn rhai o gystadleuthau pwysicaf pob eisteddfod. Yr her fwyaf i gyfeilydd ifanc ym mhob man oedd yr Her Unawd. Beth ddywedodd y triawd arbennig hwn wrthyf i oedd: "Os wyt ti'n nabod y gân, cyfeilia di. Os nad wyt, gad hi i ni." Fel hynny y cefais i'r profiad angenrheidiol o gyfeilio yng nghystadleuthau pwysig yr Her Unawd – a gwybod fy mod i'n bur ddiogel pan nad oedd y gân yn gyfarwydd i mi. Coffa da am driawd o gyfeillion a oedd mor barod i helpu cyfeilydd ifanc a dibrofiad, un a ddaeth ymhen amser i fod yr un mor brofiadol â nhw.

Am flynyddoedd cyfeiliwn yn eisteddfodau Rhuallt, Rhuddlan, Saron, Ffynhonnau, Llan Ffestiniog, a Llanddeusant ar Ynys Môn. Cyfle i ryfeddu at waith ysgrifenyddion a oedd – a sydd – yn rhoi o'u popeth i hyrwyddo llwyddiant eu gwyliau arbennig. Trist yw dweud bod eisteddfodau Rhuallt, Rhuddlan a Saron erbyn hyn yn rhan o'r gorffennol pell, ond, diolch i'r drefn ac i frwdfrydedd y broydd, y mae eisteddfodau bach a mawr yn dal i ffynnu.

Wedi sawl blwyddyn weithgar fel cyfeilydd, cefais wahoddiadau i weithredu fel beirniad, gorchwyl ag iddo lawer llai o straen na chyfeilio. Pleser llwyr oedd pob sesiwn o feirniadu, yma ac acw dros Gymru. Y mae diwrnod eisteddfod yn ddiwrnod hir a chaled. Cychwyn gyda chystadleuthau'r plant yn y prynhawn, weithiau dros ugain o blant yn canu dan wyth oed, a'r mamau yn disgwyl beirniadaeth adeiladol ar bob un ohonynt. 'Ches i neb yn dod ataf i i gwyno, rhaid dweud. 'Roedd yn arferiad ers talwm i gystadleuwyr aflwyddiannus fynd at y beirniad i ofyn pam na chawson nhw mo'r wobr gyntaf. Y gorau a welais i erioed yn delio hefo'r sefyllfa yma oedd y diweddar Gwilym R. Jones. Un tro, pan oedd ef yn cael paned ddistaw ar ôl traddodi, dyma'r adroddwr a ddaeth yn ail yn dod ato ac yn bytheirio am funudau lawer. 'Doedd Gwilym R., medda fo, ddim yn sylweddoli ei fod wedi ennill ym mhrif eisteddfodau Cymru, gan gynnwys y Genedlaethol. Aeth ymlaen ac ymlaen. Wedi iddo redeg allan o stêm, trodd Gwilym R. ato a sibrwd wrtho, "Ail oeddech chi, yntê?"

Unwaith erioed y cefais y cyfle i feirniadu yn y Genedlaethol, a 'dw i'n ddyledus i gyfeillion Pwyllgor Cerdd Eisteddfod Llangefni 1983 am hynny. Un o'm gorchwylion oedd traddodi'r feirniadaeth ar yr ail gystadleuaeth i gorau meibion. Cystadleuaeth o safon uchel. Ac wedi trafod gyda'm cyd-feirniaid, dyma gyhoeddi mai Côr y Traeth oedd ar y brig a'r Brythoniaid yn ail. Er mawr bleser i mi, gwelais aelodau'r Brythoniaid yn llongyfarch aelodau'r Traeth ar eu taith o'r llwyfan, arwydd o ysbryd eisteddfodol hyfryd iawn.

Y nos Sul ddilynol cefais y fraint o arwain y Gymanfa Ganu fawr a oedd yn cloi'r Brifwyl. Y pafiliwn dan ei sang, awr o ganu a oedd yn cael ei ddarlledu ar Radio Cymru ac awr arall a oedd yn rhan o raglen deledu S4C. Fy nghamgymeriad mawr i oedd gwisgo siwt olau. Pan ddaeth y camerâu i ganolbwyntio arnaf i, y peth cyntaf a welodd pawb oedd marc chwys ofnadwy a ledodd ymhen dim reit ar draws fy nghefn. A hyd heddiw, os bydd Eisteddfod Llangefni yn codi yn y sgwrs, y chwys yw'r prif destun siarad.

Rai wythnosau wedi'r Eisteddfod honno, derbyniais

drwy'r post, gan rywun na wn i pwy ydyw hyd y dydd heddiw, lun o lwyfan yr Eiteddfod, côr yr Eisteddfod arno, ac ar ei flaen yr Archdderwydd yn cyflwyno rhywbeth i ŵr a safai o'i flaen ac a oedd yn diferu o chwys, a'r chwys hwnnw'n llifo megis afon i lawr grisiau'r llwyfan tuag at bwysigion y rhes flaen, a phob un ohonyn nhw'n gwisgo Wellingtons. Mewn swigen yn dod o geg yr Archdderwydd, gosododd yr arlunydd y geiriau hyn: "Cyflwynaf y rhodd hon i chwyswr gorau'r Wyl; a'ch enw yng Ngorsedd yw Rhys y Chwys." Os yw'r arlunydd dawnus yn darllen y llyfr hwn hoffwn gael gwybod pwy ydyw er mwyn i mi gael diolch iddo am sawl pwl o chwerthin.

Ac nid dyna ddiwedd y stori. Rai misoedd yn ddiweddarach aeth criw ohonom ni Gantorion Clwyd, parti merched yr oedd Gwen yn ei arwain, ynghyd ag Iwan Davies a Hywel Price, i Lerpwl i roi noson i'r Gymdeithas Gymraeg yno. Wrth i mi gerdded i mewn daeth dyn ataf a dweud mewn llais reit ffyrnig, "Rhys Jones, myn uffern i." Wedi croeso fel yna 'doedd dim i'w wneud ond disgwyl i weld beth oedd achos yr ymosodiad geiriol. "Y chi," medda fo, "oedd yn beirniadu ail gystadleuaeth y corau meibion yn Llangefni." "Wel," meddwn i, "fi oedd yn traddodi, ond mynegi barn y panel yr oeddwn i." "Ta waeth am hynny," medda fo, "mi wnaethoch chi ufflon o gamgymeriad. Mi oedd Côr y Brythoniaid yn ddigon o gynta." "Wel," meddwn i, "rhydd i bawb ei farn, a barn y beirniaid, y pump ohonyn nhw, oedd mai Côr y Traeth oedd yn fuddugol." "Wyddoch chi be?" medda fo wedyn, "pan welais i chi'n chwysu, mi 'rown i mor wyllt ynglŷn â'r mater mi droais at y wraig a dweud, 'Gobeithio y ceiff y diawl niwmonia'." 'Roeddwn i'n geg-agored, ond yr oedd gen i un cwestiwn arall. "Un o lle ydach chi?" "O Stiniog, siŵr Dduw," medda fo. A dyna pam yr oedd wedi anghydweld mor ffyrnig!

Ie, dyddiau difyr oedd y rheini, beirniadu mewn myrdd o eisteddfodau, a chael y fraint o gyd-feirniadu gyda rhai o fawrion cerdd y wlad, Meirion Williams, Gerallt Evans, W. Matthews Williams, T. J. Williams, a'u tebyg, cerddorion a feddai'r ddawn i ddedfrydu'n deg a'r ddawn i draddodi beirniadaeth adeiladol heb frifo teimladau hyd yn oed y gwannaf o'r cystadleuwyr. Yn y dyddiau hynny 'doedd dim prinder cystadleuwyr. Yn aml iawn gallai rhagbrawf yr Her Unawd bara tua dwy awr, a byddai gofyn i'r beirniad ddweud gair wrth bawb yn ystafell y rhagbrawf a chyhoeddi pwy oedd yn esgyn i'r llwyfan.

Erbyn hyn, problem fawr y rhai sy'n trefnu eisteddfodau yw gwarantu cynulleidfa: y mae gan yr hen focs yn y gornel gyfrifoldeb mawr am brinder pobl mewn eisteddfod. Ond, diolch i'r drefn, y mae rhai ardaloedd sy'n parchu diwylliant ac sy'n parhau i gefnogi eisteddfodau, gan sicrhau dyfodol y cyfarfodydd cystadleuol hyn sydd mor bwysig yn hanes ein gwlad ac na welir mohonyn nhw, am wn i, mewn unrhyw wlad arall. 'Dw i wedi clywed storïau am rai o'n cantorion ifainc yn mynychu colegau cerdd ac yn cyfarfod â chydfyfyrwyr nad oeddent erioed wedi canu mewn cyfarfod cystadleuol, ac nad oeddent gan hynny wedi derbyn beirniadaeth gyhoeddus gan feirniaid cydnabyddedig. Yn hyn o beth y mae Cymru ymhell ar y blaen, a dylem ymhyfrydu yn hynny.

O blith pob peth arall y cefais i'r fraint o'u cael ym myd cerdd, rhaid dweud bod y cyfnod eisteddfodol yn uchel iawn ar restr fy atgofion pleserus. A thra oedd hyn yn bwysig yn fy mywyd i, cofiwch fod Gwen hithau'n brysur iawn gyda cherddoriaeth. Enillodd yr unawd mezzo-soprano yn yr Eisteddfod Genedlaethol bump o weithiau, ond efallai mai ei llwyddiant mwyaf oedd ennill ar y *Leider* yn Eisteddfod Genedlaethol y Drenewydd yn 1965 o blith 72 o gystadleuwyr. 'Roedd hi'n canu'r gân wych gan Schubert, "Gretchen wrth y Droell", a chofiaf hyd heddiw sylw'r beirniad Gerallt Evans: "Welsoch chi ei llygaid?"

Cyfeiriais o'r blaen at wobrau hael Eisteddfod Butlin's, ac at y bar hiraf a sicrhâi fod Mr Butlin yn cael llawer o'i arian yn ôl. Un flwyddyn enillodd Gwen yr Unawd Gymraeg a'r Her Unawd a dod adref gyda deugain o bunnoedd – cyflog mis i athrawes y pryd hwnnw.

Flynyddoedd lawer wedi i John Williams Bangor gyhoeddi y dylai cyfeillion ei ardal gefnogi David Lloyd a'i anfon i Goleg y Guildhall yn Llundain, dywedodd y cerddor enwog yr un peth am Gwen mewn eisteddfod yn nhref y Fflint. Ar y pryd yr oedd yn amhosibl gwireddu'r dyhead hwnnw. Ond, fel y dywedodd Gwen ugeiniau o weithiau, 'fynnai hi ddim gyrfa broffesiynol am mai merch ei chartref a'i bro yw hi. Dywedodd sawl tro y buasai'n ddigon hapus i dreulio pythefnos hefo mi yn America ar yr amod ei bod yn cael dod adref i gysgu bob nos.

Felly, cawsom fywyd prysur am flynyddoedd lawer. Gwen yn unawdydd, minnau'n gyfeilydd ac yn feirniad, a'r ddau ohonom yn gysylltiedig â pharti merched Cantorion Clwyd ynghyd â chôr ieuenctid Côr y Glannau.

'Roeddwn i'n gysylltiedig hefyd – fel trefnydd, cyfeilydd a chyflwynydd – â'r grŵp lleisiol mwyaf cyffrous y cefais y fraint o gael eu cwmni erioed. Yn y pumdegau yr oedd gan y bariton Gwilym Gwalchmai – brawd Gwyn

Erfyl, gyda llaw, – stiwdio gerdd yn y Rhyl, a chefais i'r profiad amhrisiadwy o gyfeilio yno i gerddorion a ganai bob math o ganeuon, a'r profiad o wrando ar arbenigwr yn ei faes yn eu barnu a'u cynghori. Cafodd Gwilym y syniad o ffurfio côr o leisiau unawdwyr. Fel arfer, y peth diwethaf y buasech yn ei wneud fyddai ffurfio côr o unawdwyr, ond yr oedd Gwilym yn ffyddiog y byddai'r arbrawf yn llwyddo.

Ac yn 1958 ffurfiwyd Cantorion Gwalia, Gwilym yn cyfarwyddo a minnau'n cyfeilio. Ar ôl blwyddyn penodwyd Gwilym yn athro canu yng Ngholeg Cerdd Manceinion, a bu'n rhaid iddo'n gadael. Ond iddo fo y mae'r diolch am sefydlu parti o gantorion a fu'n rhan annatod o'm bywyd i am ddeugain-a-phump o flynyddoedd. O 1958 hyd 2003 cefais y fraint a'r pleser anhygoel o gyfarwyddo rhai o leisiau gorau Cymru, nifer dda ohonynt yn fuddugwyr yn yr Eisteddfod Genedlaethol, cantorion sydd hyd heddiw yn adnabyddus i ddilynwyr y cyngherddau lu a fu'n rhan o batrwm bywyd cynifer ohonom: y baswyr Gwyn Jones, Goronwy Hayes, Ken Jones, Graham Oaks, Dei Davies (un o deulu enwog Bryniog), Geraint Roberts; y baritoniaid Trebor Jones, Neil Hughes, Gwilym Thomas, Hywel Price; yr ail denoriaid holl bwysig Iwan Davies, Wil Williams, Maldwyn Roberts, Bob Roberts; a'r tenoriaid uchaf Penri Vaughan Evans, Wyn Hughes, Norman Roberts, Richie Rees Jones, Meuryn Ellis a Iorwerth Roberts.

'Roeddem yn cynnal cyngherddau o leiaf dair gwaith y mis. Dros ddeugain-a-phump o flynyddoedd dyna i chi ymhell dros fil o gyngherddau. 'Rŵan 'te, 'fedrwch chi ddim cynnal cynifer â hynny o gyngherddau heb syrthio allan ac anghydweld, neu, ar y llaw arall, heb fagu cyfeillgarwch sy'n cyfoethogi bywyd. A dyna beth ddigwyddodd gyda Chantorion Gwalia – ffurfiwyd cyfeillgarwch clòs a gwerthfawr, a chawsom flynyddoedd maith o gydweithio a chyd-fwynhau cyflwyno cyngherddau ar hyd a lled Cymru a rhannau o Loegr.

Dim ond dwywaith y cawsom y fraint o ganu ymhell bell o Gymru. Yn 1983 derbyniodd Meuryn, ein hysgrifennydd gwych, alwad ffôn o Bwllheli. Boneddiges oedd yno yn holi a oeddem yn rhydd o gwmpas Gŵyl Ddewi. Meuryn yn dweud ein bod ni, a chan nad oeddem wedi bod ym Mhwllheli ers sbel go dda y byddem wrth ein bodd mynd yno. "Na," medda hi, "gwahoddiad sy gen i i Gantorion Gwalia dreulio wythnos yng nghwmni Cymdeithas y Cymrodorion yn ninas Lagos, Nigeria."

Dyma ymgynghori â'n gwragedd, dyma gael eu caniatâd i fynd, ac i Nigeria yr aethom. Ond cyn mynd yr oedd yn rhaid i ni gael sawl pigiad i'n hamddiffyn rhag y clefydau sy'n rhemp yng ngorllewin Affrica. Yn yr ysbyty wych yn Lerpwl, *The Hospital for Tropical Disease*, y cawsom y rheini, a phregeth ar y pwnc gan un o'r doctoriaid. 'Roedd yn rhaid derbyn un o'r pigiadau mewn rhan arbennig o'r corff, rhan lle'r oedd digon o gig i'w dderbyn. Piti nad oedd neb yno â chamera. Buasai gweld aelodau Cantorion Gwalia yn dinoethi eu penolau i dderbyn y feddyginiaeth wedi gwneud llun da iawn. A buasai'r *Cymro* yn falch o'i gael, 'dw i'n siŵr.

Y gymdeithas yn Nigeria oedd yn gyfrifol am yr holl gostau: mi ddaru nhw wario tua phymtheg can punt i'n cario ni yno ar awyren, ac wedi cyrraedd cawsom bres poced i'n cario ni drwy'r wythnos.

Lle ofnadwy o beryglus oedd Lagos. 'Welais i erioed gymaint o gyfoeth ochr yn ochr â chymaint o dlodi ofnadwy. Cefais i fynd i letya gyda gŵr a oedd mewn swydd bwysig iawn, ac yr oedd ef a'i wraig yn awyddus i mi beidio â chael dim ond y gorau. Wrth y giât i'w tŷ anferth yr oedd teulu yn byw ar y pafin. Yno yr oedd gŵr y teulu hwnnw wedi'i eni, ac yno, y mae'n debyg, y byddai farw. Ei unig ddyletswydd oedd agor y giât i ymwelwyr a'i chau ar eu hôl. Ar waelod yr ardd yr oedd cwt o ryw fath lle trigai'r garddwr a'i deulu, a'i unig ddyletswydd ef oedd gofalu bod yr ardd yn gyson daclus. Y gwas yn y tŷ oedd Elisha, dyn bach croenddu gyda gwên ddi-baid ar ei wyneb: ef oedd yn glanhau ac yn coginio. Y tu allan yr oedd dau gar, dau Fercedes enfawr, a dau o yrwyr, i fynd â gŵr a gwraig y tŷ i ble bynnag y mynnent fynd.

Yn Lagos yr oedd pwysau'r traffig mor drwm fel y dedfrydodd y llywodraeth na châi neb ond y rheini a chanddynt *number plate* yn gorffen hefo'r rhifau 2, 4, 6 neu 8 drafaelio ar ddyddiau Llun, Mercher a Gwener, a'r rheini hefo'r rhifau 1, 3, 5, 7 a 9 a gâi drafaelio ar ddyddiau Mawrth, Iau a Sadwrn. I oresgyn y rhwystr hwn yr oedd gan fy lletywyr i un *number plate* yn cloi gydag eilrif a'r llall gydag odrif a'u galluogai i yrru yn y ddinas bob dydd.

Cawsom wythnos ryfeddol o ddiddorol yno, ac yr oedd aelodau'r Gymdeithas yn garedig y tu hwnt i bob disgwyliad. Ar y dydd Mercher aethom mewn bws i dref o'r enw Ibadan, gan milltir i'r gogledd o Lagos, i ymweld â chanolfan ddiwylliant. Ar y ffordd yno gwelsom gorff marw ar ochr y ffordd. Ar y ffordd yn ôl yr oedd y corff yn dal yno. Yn Ibadan cawsom rannu llwyfan gyda dawnsiwyr brodorol, a rhyfeddu at sglein eu perfformiad. 'Doedden nhw erioed wedi clywed parti meibion, a dyna pam efallai fod eu hymateb i'n perfformiad ni mor fyddarol.

Yn ystod y dyddiau cyntaf yr oeddem yno, clywsom fod y wlad newydd gael anthem genedlaethol newydd, a dyma feddwl y buasai'n syniad da i'r hogiau drïo'i dysgu a'i chanu yn ein cyngerdd nos Iau. Y broblem oedd cael gafael ar rywun a oedd yn gwybod y gân. O'r diwedd, dywedodd merch o Siapan ei bod hi'n ei gwybod. A dyma fi yn gofyn iddi ei chanu. Tra oedd hi'n canu yr oeddwn innau yn ysgrifennu'r alaw mewn sol-ffa – buasai wedi cymryd oriau i mi mewn hen nodiant. Yna cenais y gân yn ôl iddi, ac 'anghofiaf i byth y rhyfeddod ar ei hwyneb o weld bod yr heirogliffics a oedd gen i yn cynnwys alaw! Cawsom hefyd y geiriau, ac mi wnes i drefniant o'r alaw ar gyfer y Cantorion, ac y mae'n rhaid dweud bod yr adwaith yn fyddarol – mor fyddarol fel y penderfynais y buasem yn ail-ganu'r anthem yn ein cyngerdd cloi y nos Sadwrn, ond erbyn hynny yr oedd yr hogiau fwy neu lai wedi anghofio'r anthem, a phur drychinebus oedd y datganiad.

Yr oedd – ac, yn wir, y mae – gan un o aelodau Cantorion Gwalia, y baswr Geraint Roberts, dalent neilltuol iawn. Y mae'n chwibanydd arbennig o dda, ac y mae ei ddynwarediadau o seiniau adar yn destun edmygedd ymhobman. Yn Lagos yr oedd yn rhaid cynnwys item gan Geraint ym mhob rhaglen. Daeth y ddau a oedd yn edrych ar fy ôl i â'r bachgen croenddu Elisha, y cogydd a'r glanhawr, gyda nhw i un o'r cyngherddau. Perfformiodd Geraint yn ei ddull arferol wych. Y bore wedyn gofynnais i Elisha a oedd wedi mwynhau'r cyngerdd. "Do," meddai, ac ychwanegu bod yno un item nodedig o wych – y dyn a oedd yn chwibanu.

Fel y dywedodd Elisha yn ei Saesneg gorau, *"Him put fingers in mouth, and birds fly out."*

Un o'r pethau a ddywedodd y doctor yn yr ysbyty ar gyfer afiechydon trofannol oedd y dylem yfed o leiaf wyth peint bob dydd am y byddem yn rhwym o chwysu cymaint. 'Ddywedodd o ddim wyth peint o beth. Eu lager nhw yn Lagos oedd *Sar Lager*. Y noson olaf, dywedais wrth y gynulleidfa ein bod wrth ffarwelio am ganu'r gân hyfryd gan Mai Jones, *"Goodnight"*, neu yn Gymraeg "Nos Da." 'Roedden nhw'n meddwl imi ddweud *No Sar!*

Cawsom hefyd noson yng nghwmni Llysgennad Prydain yn ei dŷ anferth. 'Roedd o'n gerddor da iawn ac yn sacsoffonydd arbennig o dalentog. Cefais i'r pleser o berfformio deuawd gyda'r cyfaill, a chawsom y fath hwyl arni fel y gwahoddodd fi yn ôl yno y gwanwyn dilynol i ddeuawdu gydag ef ar achlysur ei ymddeoliad. Fel y mae'r lwc, am ryw reswm aros gartref a wnes i. 'Hoffwn i ddim mynd i Lagos ar fy mhen fy hun. Er, cawsom wythnos arbennig yno yn 1983, wythnos orlawn o brofiadau bythgofiadwy, diolch i garedigrwydd neilltuol Cymdeithas Gymraeg Lagos, Nigeria.

Gwahoddiad arall a gawsom yn ystod y blynyddoedd oedd gwahoddiad i ymweld â'r Wyl Geltaidd yn nhref Lorion yn Llydaw. 'Roedd hwnnw'n brofiad rhyfeddol o hyfryd, yn rhannol am fod yno Geltiaid o Ogledd Lloegr, Ynys Manaw, Cernyw, Iwerddon, a Llydaw ei hun, wrth gwrs. Yn ogystal â chanu mewn cyngerdd ffurfiol, buom yn canu ar gornel stryd am hanner nos, am fod y lle'n berwi o bobl, ac mewn *holiday camp*. 'Roedd y Celtiaid hyn i gyd – a charfanau bychain oedden nhw – yn danbaid dros y pethau y credent ynddynt, ac yr oedd cyfarfod â nhw yn brofiad arbennig.

Digwyddodd un peth anghyffredin yn Lorion. 'Doedd yno ddim tai bwyta fel sydd yn ein gwlad ni. Pan fyddech chi'n mynd i dafarn, weithiau mi fydden nhw'n gwneud bwyd i chi. Un noson, 'doeddem ni ddim yn gallu cael bwyd yn unman. Dyma fynd ar y bws, a stopio wrth ryw fferm am fod mam a mab, mi fuaswn i'n tybio, yn pwyso ar y giât. A dyma fynd allan i'w holi. O'r diwedd fe ddaru nhw ddeall beth oedd arnom ni ei eisiau, a dyma nhw'n enwi rhyw le. Ond, wrth gwrs, 'doeddem ni ddim callach. A dyma nhw i'r tŷ ac allan eto i'r garej i nôl eu car a dweud wrthym am eu dilyn. Bum milltir ar hugain yn ddiweddarach dyma ddod o hyd i'r lle 'ma ar lan y môr, a gwahodd y mab a'i fam i ddod i mewn gyda ni. Na, 'doedden nhw ddim eisiau. Ysgwyd llaw hefo pawb, ac i ffwrdd â nhw.

'Rŵan, yr oedd hynny yr un fath â thywys rhywun o Brestatyn i Lanfairfechan. Pan aethom i mewn i'r tŷ bwyta yr oedd ystafell i fyny'r grisiau yn barod ar ein cyfer, a'r bwrdd wedi'i osod, platiau a phob dim. Rhaid bod y fam a'r mab wedi ffonio i wneud trefniadau ar ein rhan. Mor hawdd fuasai iddyn nhw ddweud, "Ewch ymlaen am bum milltir ar hugain ac fe welwch dŷ bwyta." Na, 'roedden nhw wedi mynnu'n tywys yr holl ffordd. Am garedigrwydd!

Bu'r Cantorion yn canu tua chwe gwaith yng Ngharchar Walton, ac yn canu yn y carchar i ferched yn Styal ger Wythenshawe. 'Dw i'n cofio holi'r *padre* ynghylch troseddau'r merched. "O," medda fo, "y troseddau arferol. Yn wir, y mae'r ddwy a wnaeth banad o de i chi i mewn am lofruddiaeth." 'Doedd dim lot o flas ar y te wedi i ni glywed hyn!

Y tro cyntaf yr aethom i Walton, gofynnodd un o'r

wardeiniaid a oeddem am dalu ymweliad â'r tŷ bach. I ffwrdd â ni, a'r warden yn cloi pob drws ar ein hôl. A meddai un o'r hogiau, "'Doeddwn i ddim eisiau mynd, ond yr oedd gen i ofn aros allan yn fan'na."

Cawsom groeso brwdfrydig bob tro. Ond y tro olaf i ni fynd yno dywedodd un arall o'r hogiau, "Reit, dyna'r tro olaf i *mi* fynd i Walton." "Pam?" gofynnodd pawb. Am ei fod wedi gweld yn y gynulleidfa ddyn a garcharwyd yno am ladrata o'i siop. "Y mae'n ddigon drwg ei fod wedi dwyn o'r siop acw," medda fo, "heb i mi orfod mynd i'r carchar i ganu iddo."

Dywedodd Llywodraethwr y carchar wrthym ei fod ar un adeg yn gweithio mewn carchar go fawr yn Ne Lloegr, a'i bod yn arferiad gan y cwmni opera amatur lleol i fynd yno i berfformio. Un prynhawn Sul tra oedd rhyw soprano enfawr yn llofruddio rhyw gân, dyma un o'r carcharorion yn dweud wrth y Llywodraethwr, "'Ddywedodd y Barnwr ddim byd am hyn pan ges i ddeuddeg mlynedd ganddo."

(v) TELEDU

Ar ôl i mi ymddeol o fyd addysg yn 1984 cefais wahoddiad i arwain y canu i *Dechrau Canu, Dechrau Canmol* yng Nghapel Tegid y Bala. Cynhyrchydd y rhaglen y pryd hwnnw oedd Ieuan T. Lewis, cyfarwyddwr unigryw yr oedd pawb yn edmygu'i raglenni. Ar ddiwedd y recordiad hwnnw, wedi iddo weld sut yr oeddwn i'n trin y gunlleidfa, gofynnodd i mi ystyried denu cynulleidfa o gantorion i Gapel Clwyd Street y Rhyl ar gyfer rhaglen arall yn Hydref 1985. "Dim problem." Gwyddwn fod dros ddau gant o gantorion a fyddai'n awyddus i gyfrannu i'r rhaglen boblogaidd, sef aelodau Côr Eisteddfod

Genedlaethol y Rhyl, ac y gellid ychwanegu atyn nhw Gantorion Clwyd, a Meibion Menlli, a'r tenor Iwan Davies. *"And by the way,"* meddai Ieuan, *"how do you feel about fronting it?"*

A dyna sut y cefais i'r profiad o gyflwyno un o raglenni mwyaf poblogaidd S4C, a thros y saith mlynedd ddilynol y fraint o gyfarfod â channoedd o bersonoliaethau arbennig iawn. Y mae un stori ynglŷn â 'ngyrfa deledu y mae'n werth ei hailadrodd. Tua phedair blynedd yn ôl cefais fy llethu'n llwyr gan niwmonia, a bu'n rhaid i mi fynd i'r ysbyty am wythnos. Ar y trydydd diwrnod, a minnau erbyn hynny yn eistedd i fyny, dywedodd y nyrs wych a oedd yn gofalu amdanaf, "'Dw i ddim yn siŵr a ydw i wedi maddau i chi eto." "Wel, pam?" gofynnais. "'Dach chi'n cofio cyflwyno Côr Plant Dinbych gan sefyll o'u blaen yn y sêt fawr?" Minnau'n dweud fy mod yn cofio'n iawn. "Wel," meddai hi eto, "fe sefoch chi reit o flaen y ferch acw, ac oherwydd hynny 'welais i mohoni ar y teledu."

(vi) COFIO

Y gwir yw bod cynifer o atgofion yn llifo'n ôl wrth i mi osod y geiriau hyn ar bapur. 'Dw i'n cofio Gwyn Jones y baswr, Bob Roberts y tenor, a Gwen a minnau yn cynnal cyngerdd yn Nhrawsfynydd, Cyngerdd Dr Gwennie fel y'i gelwid. Y meddyg hynod garedig oedd yn talu am bob dim, y neuadd, y tocynnau, y posteri, — popeth. Ar ddiwedd y cyngerdd cawsom wahoddiad i fynd i dŷ Dr Gwennie i fwynhau pryd o fwyd, pryd tebyg i ginio dydd Sul. Y noson arbennig honno cawsom hefyd gwmni llywydd y noson, *y local boy makes good*, gŵr hynod ffond ohono'i hun. 'Roedd o'n monopoleiddio'r sgwrs ac yn dweud wrth y cwmni gymaint yr oedd o wedi trafaelio'r hen fyd 'ma. *"We were coming home from America,"* medda fo, *"on the QE2, actually, and were playing chess on deck..." "Oh yes,"* meddai Bob, *"that's just like draughts, isn't it?"* Gan wenu'n uchel-ael, *"Oh no,"* meddai'r gŵr siaradus. *"Well, hold on,"* meddai Bob, *"you play it on a flat surface covered in black and white squares and you have objects to move and there are strict rules as to their movement."* 'Roedd yn rhaid i'r snob gytuno bod Bob yn gywir. *"There you are then,"* atebodd Bob, *"just like bloody draughts."* Fe aeth y dyn allan o dŷ Dr Gwennie yn fuan wedyn.

Cofiwch, 'dw i'n cael fy nal yn gyhoeddus weithiau. Y mae fy nheulu yn chwerthin pan 'dw i'n siarad hefo pobl o wledydd pell: tueddaf i godi fy llais yn uchel am ryw reswm, a siarad â'r brodorion yn Saesneg ond yn eu hacen nhw. Un tro, pan oedd Gwen a mi yn nhref Corfu, aethom i fewn i siop gwerthu-pob-peth a rhyfeddu o weld ar y wal fawr o'n blaen Ddraig Goch anferth. Dyma fi at y perchennog, gosod fy llaw ar fy nghalon, a chyhoeddi'n uchel, *"That flag is the flag of my country."* A dyma'r dyn yn troi ataf ac yn dweud, "P'nawn da, sut ydach chi heddiw?" 'Roedd wedi bod yn dorrwr gwallt yn y Rhondda am nifer o flynyddoedd ac wedi dysgu'r Gymraeg – talent a'm rhoddodd i reit yn fy lle.

Rhaglenni radio a theledu, eisteddfodau, cyngherddau, cymanfaoedd – cefais alwadau i gyfrannu iddyn nhw i gyd. Mewn un gymanfa blant yr oeddem yn canu'r emyn sy'n sôn am fore oes. Gan gyffelybu oes i ddiwrnod, dywedais eu bod nhw ym more'u hoes. "Pa adeg o'r dydd yw hi arna i?" gofynnais. A dyma fachgen yn codi'i law ac yn dweud, "Tua amser swper."

108

'Roedd yr hogyn yn llygad ei le – y *mae* hi'n amser swper arnaf i erbyn hyn. Er i mi ymddeol o waith bob-dydd yn 1984, ers hynny cefais fwynhau i'r eithaf flynyddoedd o weithgarwch di-baid ym myd y gân. Soniais am gydweithio gydag Aled Lloyd Davies o'r blaen. Ond 'does dim amser na lle i sôn am y sioeau cerdd eraill y cefais y fraint o gyfansoddi'r gerddoriaeth ar eu cyfer – er enghraifft, yr anfarwol *Ciliwch rhag Olwen* gyda'r diweddar annwyl W. R. Evans, sioe a roddodd i mi y cyfle i ymweld yn gyson â Chrymych a'r cyffiniau, a dod i adnabod Cymry a oedd yn arddel eu Cymreictod gyda balchder anghyffredin. Cydweithiais hefyd gyda'r dramodydd Bob Roberts ar ei addasiad hynod glyfar o *Weledigaethau'r Bardd Cwsg* o dan y teitl a oedd yn newydd i bawb yn 1977, *Ffantasmagoria*. 'Roedd hon yn sioe hynod lwyddiannus.

Wel, diolch yw fy nghân. Am Gwen, wrth gwrs. Ac am y plant, Caryl a Dafydd. Ac am yr wyrion, Elan, Miriam, Moc, Greta, Jos a Cai. 'Dw i wedi mwynhau pob mymryn o fy mywyd, er i mi gael pwl o'r hen gancr sbel yn ôl, ond drwy gymorth meddygon hael eu hamser a'u doniau cefais ryddhad llwyr ohono. Fe'm trechwyd gan niwmonia un tro, fel y dywedais, ond y mae'r effeithiau wedi hen ddiflannu. Efallai y dylwn nodi, pan oeddwn yn gorwedd yn ddiymadferth yn Ysbyty Glan Clwyd, i mi ddeffro yn sydyn un diwrnod a gweld Gwen wrth droed y gwely. Dyma hi'n closio ataf, nes bod ein trwynau bron yn cyffwrdd, ac medda hi wrthyf, braidd yn fygythiol, "Paid ti a meiddio marw'n fan hyn." Wnes i ddim ar ôl hynny, 'roedd gen i ormod o ofn croesi'r Iorddonen!

Bu'n siwrne eithaf hir o Drelawnyd dauddegau'r ganrif ddiwethaf i Brestatyn yr unfed ganrif ar hugain.

Ond 'fuaswn i ddim wedi newid dim – ar wahân efallai i ddyddiad priodas Gwen a minnau: fe ddylsem fod wedi priodi o leiaf dair blynedd ynghynt!

A minnau wedi cyrraedd yr oedran teg o 84 gallaf edrych yn ôl ar fywyd llawn iawn, bywyd a lanwyd i'r ymylon gan weithgarwch a llawenydd. Buom yn byw mewn sawl tŷ dros y blynyddoedd, a'r enw ar bob un ohonyn nhw yw Llawenydd. Hyd yn oed heddiw y mae'r lle 'ma'n fyw o seiniau plant – Gwen yn dal i gynnal dosbarthiadau canu i nifer dda o bobl ifanc ac yn eu paratoi at gyngherddau ac Eisteddfodau'r Urdd. Yn wir, y mae 'na leisiau ifainc i'w clywed yn mynd drwy'u pethau bob nos Lun a phob nos Fercher, ac y mae'r pyliau o chwerthin iach sy'n dod o ystafell y piano yn fendigedig. Gan nad yw Gwen yn codi tâl am ei gwasanaeth y mae amryw o rieni diolchgar yn cyfrannu at wahanol elusennau. Dros y blynyddoedd diwethaf codwyd dros chwe mil o bunnoedd at achosion da. Mater o falchder arbennig i mi oedd iddi dderbyn Medal Syr T. H. Parry-Williams yn Eisteddfod Genedlaethol 1998 a'r Wisg Wen yn yr Orsedd y flwyddyn ganlynol. Erbyn hyn y mae gan y tri ohonom, Gwen, Caryl a minnau, yr hawl i wisgo'r Wisg Wen – er, hyd yn hyn, 'ddaeth yna ddim cyfle i ni'n tri ei gwisgo yn yr un seremoni. Rhyw ddydd, efallai.

Ac i gloi'r cyfan, fe ddaeth diwedd 2011 a bendithion gwerthfawr i'm rhan. Ym mis Gorffennaf cefais fy nerbyn fel Cymrawd er anrhydedd gan Brifysgol Bangor a chael mwynhau a gwerthfawrogi diwrnod arbennig o gyffrous. Ac yn goron ar y cyfan daeth gwahoddiad i Gwen a minnau i fod yn Is-Lywyddion yn yr Eisteddfod Genedlaethol a gynhelir ar gyrion tref Dinbych yn y flwyddyn 2013. Gwyn ein byd – dim ond gobeithio y cawn ni fyw i fwynhau'r anrhydedd!

A dyna ni. Fel yna 'roedd hi a 'faswn i'n newid dim. A dyna arwydd da, 'ddyliwn, i'r cyfan fod wrth fodd,

Yr eiddoch yn gywir,
Rhys Jones

.